En Nombre De Dios Pedimos Posada

En Nombre De Dios Pedimos Posada

Nueve Noches De Esperanza Antes De Navidad

*Mil cien millones de hambrientos
subsisten hoy con un dólar por día.
Cien millones de refugiados buscan hoy Posada
como hace dos mil años José y María de paso por Belén*

Eduardo Pinzón-Umaña, S.J.

**One Liguori Drive
Liguori, Missouri 63057-9999
(314) 464-2500**

ISBN 0-89243-643-3

Número de catálogo en la Biblioteca del Congreso: 95-76473

Propiedad literaria © 1995, Eduardo Pinzón-Umaña, S.J.

Impreso en los EE.UU.

Primera Edición

9 8 7 6 5 4 3 2 1

Los pasajes de la Biblia que aparecen en esta edición han sido adaptadas de la Biblia Latinoamericana y utilizadas con permiso. Ediciones Paulinas, Madrid, España, 12 edición, © 1994. Propiedad literaria. Todos los derechos reservados.

Las oraciones de las páginas 80, 91y 96 han sido adaptadas de la Liturgia de las Horas para los fieles, Editorial Buena Prensa, México, 1985.

Se ha hecho todo lo posible para conseguir los permisos correspondientes a las obras citadas en este libro. En caso de error y omisión, el autor y el editor agradecen la información pertinente para incluirla en futuras ediciones.

Diseño portada: Wendy Barnes

A mi madre,
y a la comunidad hispana,
iluminadas por
la estrella de Belén.

ÍNDICE

IV

Cómo celebrar las Posadas de Navidad 67

V

Lecturas, reflexiones y oración para cada noche 75

VI

Cantos y villancicos para las Posadas navideñas 105

PRESENTACIÓN

Cien millones de exiliados que vagan por el mundo avergüenzan nuestra civilización que ha llegado a las estrellas. Diariamente las pantallas de televisión muestran a pueblos enteros de Ruanda, Europa Oriental, las dos Américas y el Oriente, en busca de Posada, como José y María de paso por Belén.

Millones de gentes sin hogar son discriminadas, maltratadas, deportadas como ilegales y el odio se extiende como fuego contra quienes tengan otras costumbres, color o religión. Con el estómago vacío golpean a nuestras puertas quienes huyen de su patria perseguidos por la violencia.

Mientras en invierno cantamos villancicos junto al pesebre calentados por la chimenea, mil cien millones de personas tiritando de frío sobreviven con un dólar por día. Padres que roban pan para su familia y refugiados sin Posada como María y José, ensombrecen la Navidad, la fiesta de la liiz. En las Posadas de Navidad aprendemos a rechazar la injusticia y la opresión, a matar prejuicios y abrir el corazón a María y José que siguen buscando Posada en millones de inmigrantes cada día más visibles y rechazados por el mundo.

Veinte años en el apostolado hispano han aumentado en el padre Eduardo Pinzón, S.J., el amor por nuestra gente y tradiciones religiosas. El libro que presentamos cuestiona costumbres navideñas rutinarias y nos invita a visitar en un viaje difícil a familias hambrientas, oprimidas y sin techo. En estas páginas desfilan víctimas de gobiernos que despilfarran millones en tanques y metralletas para asesinar a quienes luchan por tierra y agua limpia. Jesús nació sin Posada, no tuvo una piedra donde reclinar su cabeza, fue segregado con los pobres, marginados y exiliados y murió para traer justicia, amor y paz a un mundo egoísta y sediento de riqueza. Es lindo cantarle al Niño-Dios, pero ¿está bien comer, romper piñatas, atiborrarnos de regalos, mientras discriminamos, negamos Posada y cerramos puertas a hermanos nuestros de rostros demacrados, cuyo pecado es no tener techo ni trabajo?

Que la estrella de Belén nos lleve hasta los hogares de los menos favorecidos. Entonces nuestras Posadas y nuestras comunidades despertarán a un amor sin condiciones a ejemplo de Jesús.

Monseñor Patricio F. Flores, D.D.
Arzobispo de San Antonio

INTRODUCCIÓN

Las ramas del árbol se doblegaban al peso de mil adornos navideños: ángeles azules, palomas blancas, trompeticas doradas, globos rojos... Un montón de regalos se apiñaban en el suelo junto al nacimiento con pastores y reyes, la mula y el buey, coches tirados por caballos, trenes, aviones y helicópteros... Los niños saltaban curiosos alrededor de sus regalos. Los invitados, la música y los aromas de la cena navideña llenaban el hogar la noche de la última Posada, la víspera de Navidad. Los ojos verdes del abuelo brillaban con el fuego de la chimenea entre su barba algodonada, mientras los niños sin pestañear escuchaban sus palabras:

Hace dos mil años un seno virginal fue la primera Posada donde la vida divina comenzó a crecer en nuestra tierra. José y María golpearon en veinte puertas buscando una Posada tranquila para el nacimiento de su primer hijito. El mesón del pueblo era para huéspedes de una noche; por eso no hubo Posada para Jesús que no entraba al mundo como turista de paso en un hotel. Como José y María eran pobres y todas las puertas se cerraban a su paso, tuvieron que acomodarse en una sucia cueva de animales. Entonces, fuera de Belén nació la esperanza del amanecer, en la paz de la noche acompañada con el rebuzno del burro y el mugido del buey. En Jesús Dios por fin se hizo hombre, para quedarse con nosotros para siempre. Dios no pudo dar nada mejor que a sí mismo, y en la tierra, en una canoa, comedero de animales, nació el Hijo de Dios, en cuerpo y sangre alimento para la humanidad. Los pobres y los de corazón sencillo comprendieron el encuentro del hombre que buscaba a Dios y de Dios que buscaba al hombre. Entre los árboles del paraíso Adán y Eva se escondieron al sentir a Dios. También Moisés, Zacarías y María se asustaron ante la presencia del ángel y la terrible majestad de Dios. Zacarías e Isabel se alegraron al nacer Juan y mientras arrullaba a su Dios, inmóvil entre pañales, incapaz de levantar su cabecita, María recibió al amor y borró en la humanidad el miedo a Dios. La vida divina encontró Posada en su corazón, y en su seno virginal abierto a Dios, la humanidad salió de las tinieblas a la luz y la alegría. Así en diciembre el ballet baila por las ciudades, de las vitrinas de los almacenes brotan melodías de Cascanueces y del Lago de los Cisnes, Cenicienta sonríe libre y feliz, Santa Claus salta como un niño, de los hogares brota luz por las ventanas y las estrellas parpadean en los árboles de la ciudad. Jesús, la luz del mundo ilumina también al Dios sin hogar que continúa hoy sin Posada en 100 millones de personas. Aunque Cristo nazca mil veces en Belén, si nuestro corazón no ama y perdona, no vale la pena haber nacido, ni tampoco celebrar Posadas Navideñas. Todos los días del año deben ser Navidad y cada día debe nacer Jesús entre nosotros. Cada vez que el hambriento comparte sus mendrugos y el sediento su agua, al responder con amor al odio y dar Posada al que no tiene techo, Jesús vuelve a nacer entre nosotros.

Niños y niñas se ofrecieron a compartir ese mismo día los regalos navideños con los vecinos cuyas casas habían sido incendiadas por manos criminales. "Aquí cerquita, junto a la autopista hay siempre familias pidiendo limosna o trabajo. ¿Por qué no los invitamos esta noche a comer?" Un silencio inmediato se extendió por el alegre salón. "Tal vez es mejor llevar juguetes a los niños pobres; si los invitamos aquí, se pueden sentir mal entre nosotros…" Se habló mucho de abrir las puertas del hogar a los sin techo, de dar pan al hambriento, de amar y perdonar sin condiciones. Como María —dijo el abuelo— abramos sencillamente el corazón, dejemos que Dios entre y demos Posada a los demás.

En Navidad adoramos a Quien no tuvo nada mejor que darnos que a Sí Mismo y sin dejar de ser el Dios de siempre, se hizo el hombre que nunca había sido. La humanidad se preguntó angustiada por qué el dolor, la humillación, la pobreza, qué sentido tenía el sufrimiento. Dios responde con su Palabra hecha hombre, y sin explicar la razón del sufrimiento él mismo se humilla, acompaña nuestra soledad, como nosotros llora y como muchos nace pobre. Dios se nos presenta en un judío formado en la reducida Posada del seno materno, criado en una aldea perdida entre montañas, oprimido por las fuerzas que ocupaban su país, que sufrió hambre y sed, lloró la muerte del amigo, experimentó la amargura de la amistad traicionada, las tentaciones, el horror a la muerte y el abandono de su Padre. Jesús no es el Dios terrible de quien se escondieron asustados Adán, Moisés, Zacarías y María, sino un niño indefenso en una cuna y un hombre vencido en una cruz, que sufre hoy en mil cien millones de personas que viven con un dólar diario. Podemos imaginar recoger basura y limpiar telarañas en la cueva de Belén, pero Jesús prefiere que seamos compasivos y alegremos HOY a las víctimas de la violencia, a gentes con hambre y sin techo. Las Posadas navideñas, nueve noches de oración y esperanza, nos presentan a la Sagrada Familia sin Posada para que abramos el corazón a los que sufren.

Al compartir regalos tratamos de imitar a Dios que se nos entregó a sí mismo en la figura de un niño, algo que nadie jamás hubiera imaginado. Al nacer Jesús, Dios realizó su plan de hacerse hombre y respondió a los anhelos del hombre de ser como Dios. Algo así como el Padre, el Hijo y el Espíritu Santo son entre sí un regalo eterno de amor, nos parecemos más a Dios y somos más humanos, cuanto más salimos de nosotros para entregarnos a los otros. En las Posadas de Navidad cantamos a la Vida, compartimos regalos, comida y bebida y sin rechazar a nadie, abrimos puertas, ventanas y el corazón a quien busca Posada. Con Jesús ha renacido la Vida que excluye la miseria. No es humano comer y cantar durante nueve noches antes de Navidad, mientras cien millones de personas vagan por el mundo sin trabajo ni hogar, golpeando noche tras noche en puertas cerradas como María y José. La Navidad puede volverse una rutina religiosa donde se esconde Dios.

Las Posadas invitan a ayudar a los marginados, segregados, exiliados, a los que viven con hambre y sin hogar, a las víctimas de injusticias que tragan en silencio lágrimas amargas. Mil cien millones de personas cansadas de caminar y golpear buscando hogar como la Sagrada Familia hace dos mil años, continuarán con el estómago vacío si nuestra ayuda no los alegra como la estrella de Belén.

Durante cuatro siglos el pueblo mexicano ha celebrado las Posadas que ofrecemos en este libro con lecturas, reflexiones, oraciones y cantos para las nueve noches antes de Navidad. Estas páginas van dedicadas con cariño a los organizadores de las Posadas y a las personas de habla hispana dentro y fuera de los Estados Unidos, donde cada día son más visibles tanto nuestra herencia hispana, como el rechazo a los indocumentados. Las Posadas de Navidad pretenden animar experiencias de fe y amor al Niño-Dios, uno de nosotros que experimentó incertidumbre, soledad y humillación, compañeras inseparables de la humanidad.

El Niño-Dios vuelve a nacer en una comunidad abierta como Maria a profundas experiencias de fe y amor a Dios y a los demás. La ternura de Dios ilumina los hogares compasivos en la sonrisa de los pobres y quienes vagan cabizbajos por el mundo, al recibir Posada, amor y pan, se sienten acariciados por el amor de Dios.

> **Jesús, sin una piedra donde reclinar tu cabeza,**
> **bendice nuestra lucha por una vida mejor;**
> **disminuye distancias culturales,**
> **que en lugar de separarnos nos unan y enriquezcan.**

I

AL ENCONTRARSE DOS CULTURAS NACIERON LAS POSADAS DE NAVIDAD

¿Cuando se comenzó a celebrar la Navidad?

Los antiguos paganos adoradores del dios Mitra celebraban el nacimiento del sol invencible el 25 de diciembre. Hacia el año 272, el emperador Aureliano dedicó en el campo de Marte un templo al dios sol, declarándolo el 25 de diciembre, patrono principal de Roma. Eran las fiestas romanas de la luz y la Iglesia comenzó a celebrar el 25 de diciembre del año 312, el nacimiento de Jesús, la luz del mundo que disipa las tinieblas del pecado. En el siglo primero el calendario juliano celebraba las fiestas de la luz el 25 de diciembre y el calendario egipcio las celebraba el 6 de enero. Los armenios presionados por Roma tuvieron que aceptar el 25 de diciembre como fecha del nacimiento de Jesús, pero el 6 de enero repetían la liturgia navideña... Ambas fechas coincidían con el solsticio de invierno, al remontarse el sol hacia los cielos del Norte, acortando las noches y alargando los días en el hemisferio occidental. San Mateo en su Evangelio cuenta que unos sabios vinieron desde Oriente en pos de un astro en busca de Jesús hasta encontrarlo. El Hijo de Dios, la luz profetizada por Isaías, vendría a disipar las tinieblas del odio, el egoísmo y la violencia y comenzaría a iluminar la humanidad desde la pobreza de una cueva. Desde el siglo tercero Cristo fue llamado luz del mundo y sol de justicia. La estrella de Belén orientó a los reyes magos hasta la cueva de Belén y desde el siglo cuarto el nacimiento de Jesús reemplazó las fiestas paganas de la luz.

Devoción a Jesús Niño y origen de las Posadas navideñas

El amor a Jesús niño fue desconocido al principio de la Iglesia. Al Jesús de la historia sus amigos lo vieron calmar tempestades, llamar muertos a la vida, pero también presenciaron su derrota y humillación pública en la cruz. Jesús sólo fue realmente el Hijo de Dios para sus amigos, hasta después de muerto cuando lo vieron y lo tocaron resucitado, vivo y glorioso, y los primeros cristianos sellaron con su sangre la fe en Jesús, Hijo único de Dios. Poco interesaba entonces la fecha exacta del nacimiento de Jesús. En el siglo veinte hay gente culta que pierde el sueño tratando de aclarar datos imposibles de verificar históricamente, sin pensar que lo importante es VIVIR LA GRAN NOTICIA traída por Jesús, la Luz del mundo que disipa las tinieblas del pecado: todos debemos amarnos y aceptarnos sin condiciones como hijos que somos del mismo Padre Dios.

La devoción al Niño Dios comenzó en el siglo trece con San Francisco de Asís, enternecido ante un niñito nacido en una cueva de animales. Francisco quería que en Navidad, cuando el Verbo se hizo Carne, todos comieran carne hasta saciarse, que se arrojaran semillas por los caminos para alimentar a las aves, que quienes tuvieran un asno o un buey les demostraran cariño y gratitud por haber calentado al Niño Dios, y que todos nos diéramos regalos en Navidad. Francisco de Asís arregló con figuras de barro y madera el primer nacimiento o Belén en Greccio, Italia en 1223 y descubrió al mundo la ternura de un niño tiritando de frío en una cuna de pajas. Con el mismo espíritu Ignacio de Loyola invita a "ver a Nuestra Señora, a José y al niño Jesús, después de ser nacido, haciéndome yo un pobrecito y esclavito indigno, mirándolos, contemplándolos y sirviéndolos en sus necesidades como si presente me hallase con todo acatamiento y reverencia possible…"[1] Los franciscanos popularizaron la costumbre de representar con estatuitas el nacimiento de Jesús durante Navidad. Muy pronto apareció en Iglesias y hogares la cueva del nacimiento, con el niño Jesús del relato evangélico acostado sobre pajas, rodeado de José y María, ángeles, pastores y reyes, la mula, el buey y las ovejas. Cristóbal Colón representó por primera vez el nacimiento de Jesús en la Navidad de 1492, costumbre que pronto se propagó por todo el continente americano. El árbol de Navidad fue un adorno posterior al pesebre o nacimiento.

En la edad de oro española el iniciador de las Posadas navideñas parece haber sido San Juan de la Cruz que con sus monjes llevaba en andas la imagen de la Virgen por los claustros del convento la noche de Navidad. En el siglo dieciséis, las monjas concepcionistas españolas, de convento en convento llevaban en procesión las imágenes de José y María en busca de Posada. A puerta cerrada desde sus cuartos, imaginamos a monjes y monjas cantándole coplas a José:

Muéstranos la bolsa si quieres entrada
si no traes dinero, tampoco hay POSADA

Al encontrarse dos culturas, nacieron las Posadas navideñas

En América recién descubierta, los atardeceres eran menos fríos y más largos que en Europa. En Nueva España la misteriosa cultura azteca desorientaba a los misioneros como viento de tormenta. Hace quinientos años, bajo las noches cuajadas de estrellas antes de Navidad, el Nuevo Mundo sorprendió a los españoles con ritos y costumbres exóticas y crueles. Sus mentes habían sido forjadas en la España unificada por los Reyes Católicos, donde la poderosa Inquisición imponía una sola fe, una sola moral y una sola Iglesia.

Asustados por la espada y los fusiles, los nativos se alejaban de los hombres de barba que venían con la cruz. Los peninsulares se admiraron que los aztecas desconocieran la rueda y no podían aceptar que el calendario azteca fuera más preciso que el europeo. Para continuar la vida y triunfar en las batallas los dioses aztecas necesitaban la sangre y el corazón humanos. Fue difícil para los misioneros aceptar a esa cultura y se aterraron al saber que para alimentar al dios Huitzilopochtli un final de año del siglo quince, en veinte piedras-altares la sangre humana de 20.000 víctimas enrojeció el suelo y llenó de humo la ciudad más populosa de entonces, México-Tenochtitlán:

Sobre tanta vida, la serpiente
que lleva una cabeza entre las fauces,
los dioses beben sangre, comen hombres[2]

17 ★

Los misioneros se esforzaron por comprender y aceptar una cultura diferente, sofisticada y enemiga de intrusos, que los envolvía como una segunda piel. Por su parte, los aztecas escuchaban la historia de un Dios bondadoso que no bebía sangre humana, sino que fue crucificado y derramó su sangre por la humanidad. El mito de Huitzilopochtli se asemeja al de Cristo: también él es concebido sin contacto carnal, el mensajero divino es un pájaro que deja caer una pluma en el regazo de la madre y el niño Huitzilopochtli escapa de la muerte como Jesús de Herodes. Pero Jesús no es antropófago: al contrario, nos da a comer su cuerpo y a beber su sangre para divinizarnos. Los aztecas observaban cuidadosamente a los cristianos arrodillados ante un Niñito-Dios, tiritando de frío entre pajas y animales y aprendieron que este niño sería después destrozado y muerto en una cruz. La humillada raza de bronce se identificó con Jesús perseguido y sangrante y algunas de las violentas costumbres aztecas cambiaron lentamente. Los frailes oraban, hacían penitencia y sus manos blancas derramaron agua bautismal sobre cabezas bronceadas. La fe cristiana llegaba al Nuevo Mundo traída por súbditos del imperio en cuyos dominios no se ocultaba el sol.

La aparición de la Virgen de Guadalupe partió en dos el mes de diciembre y también la historia mexicana, haciendo amigos a los indígenas entre sí, con sus dioses, con los españoles y con el Dios amoroso de los frailes. La preciosa India-Madre acudió a socorrer al pueblo abandonado y oprimido, cuando Juan Diego pasaba cerca del santuario de la diosa Tonantzín, madre de dioses y de gentes. En Tepeyac, el cerro más venerado de mesoamérica, María dijo al indito: "Nada tienes que temer pues soy tu Madre". Tonantzín reemplazó a los dioses favoritos y luego fue llamada "Tequatlasupe-Tonantzín". La princesa morena fue regazo maternal, consuelo material y espiritual de huérfanos, pobres y oprimidos, madre al mismo tiempo del hombre abandonado y del Dios desconocido. La imagen de la Virgen apareció en diciembre, doce días antes de Navidad, como una constelación de símbolos aztecas: en su túnica roja aparecía el rojo pálido de la sangre humana seca de sus sacrificios y del manto de la Guadalupana cuajado de estrellas, brotaba música celestial cantando al nuevo amanecer anunciado por los sabios. En el ayate de Juan Diego y en el alma azteca se grabó la imagen de María, que se robó al indito y al corazón de México. La mayor conversión al cristianismo se realizó después que María apareció a Juan Diego: ocho millones de nativos, con el bautismo recibieron la libertad y alimentados con la sangre de Jesús fueron cambiando sus costumbres. Con Juan Diego, México quedó para siempre en la pupila de María y el pueblo mexicano sació en secreto su sed de ternura maternal.

En la recién conquistada Nueva España los agustinos del convento de Acolman empezaron a preparar a los aztecas para el nacimiento de Cristo. Los misioneros esperaban que en las fiestas de fin de año los nativos no continuaran ofreciendo sangre humana al dios Huitzilopochtli y que se trasformaran al beber la sangre de Jesús. Durante los nueve días de las sangrientas fiestas aztecas, los misioneros introdujeron la NOVENA DE NAVIDAD que llamaron las Posadas. Era una nueva forma de celebrar los nueve meses que Jesús permaneció en el seno de María. Cada final de año se derramó menos sangre en Nueva España. La misma Madre de Jesús que encontró cerradas las puertas de Belén, apareció en Guadalupe en 1531 y abrió de par en par el corazón del gran imperio azteca. Durante nueve noches aztecas y cristianos buscaron Posada cantando de casa en casa como hermanos:

Hacia Belén se encaminan
María con su amante esposo,
llevando en su compañía,
a todo un Dios Poderoso.

La Posada terminaba cada noche con una piñata, que consistía al principio en una piña colgada de una cuerda, llena de frutas, dulces y regalitos para niños. La piñata representó después a satanás en muñecos horribles, que había que destruir como se explicará en el capítulo cuarto. Los misioneros descubrieron que los aztecas tenían pavor a los espíritus malignos que los dominaban y paralizaban de terror. Jamás hubiera imaginado un azteca quedar vivo después de insultar a un espíritu maligno. Al sacarle la lengua al diablo en las procesiones y al romper su imagen personificada en la piñata, los aztecas se dieron cuenta por primera vez, que no estaban sometidos al maligno. El burlarse del diablo tampoco les traía castigos de sus dioses. Cada noche al terminar la Posada, un sentimiento de paz y libertad, victoria y alegría inundaba a los nativos. La comunidad azteca aumentó de año en año en las Posadas y los indígenas se fueron acercando recelosamente al cristianismo. Conmovidos por el Niño calentado en una cueva por la mula y el buey, muchos pidieron el bautismo, primero para sus hijos, luego para toda la tribu. Las lágrimas del Niño Dios purificaron suavemente las fiestas sangrientas del fin de año azteca. En vez de alimentar al dios con seres humanos, los aztecas comenzaron a alimentarse con el cuerpo y la sangre de Jesús.

Las costumbres navideñas españolas mencionadas parecen haber abandonado la madre patria al cruzar el océano. En Nueva España se popularizaron las Posadas, nueve noches en que la comunidad de fe caminaba en procesión de casa en casa por el vecindario pidiendo Posada para el Niño próximo a nacer. Las procesiones y ritos especiales de las Posadas son amenizadas con "cantos del villorrio con estribillo o villancicos", típicos de Navidad. En tres casas distintas la comunidad acompañaba a los Santos Peregrinos y pedía tres veces Posada. Era un repetir la historia de José y María hace dos mil años de paso por Belén. En la noche de Navidad, la última procesión de la novena cambiaba de ruta y llegaba a la iglesia a pedir Posada. A medianoche las puertas de la Iglesia se abrían y comenzaba la **Misa del gallo** al amanecer.

Anteriormente se mencionó el árbol navideño cuyo origen se remonta a los escandinavos que al fin de año adornaban sus pinos llamados yul. La leña del yul al ser quemada durante los largos inviernos del norte, despedía un delicioso aroma que perfumaba y calentaba los hogares. Yuletime en inglés, recuerda fríos invernales y blancuras de nieve, un año que muere y otro que nace. Los cristianos vieron en el pino, verde y perfumado, un símbolo de Cristo, principio y fin de cuanto existe, fuente continua y fresca de vida inmortal. El árbol de Navidad decorado por primera vez en la comunidad cristiana de Estrasburgo, Francia, en 1605, simbolizó el árbol del paraíso, adornado con rosas, manzanas, azúcar y otras expresiones folclóricas según los distintos países. En Suecia la Navidad comienza el 13 de diciembre, día de la luz y fiesta de Santa Lucía y termina en la fiesta de Knut el 13 de enero. En Ucrania la "sagrada cena navideña" consta de doce platos. En Irlanda, árboles iluminados y puertas entreabiertas, invitan a entrar y calentarse a los viajeros que buscan Posada en invierno como María y José. El árbol de Navidad se ha popularizado en Latinoamérica en los últimos treinta años. Los habitantes de Chicago se vuelcan en diciembre sobre el Museo de Ciencia e Industria para contemplar un despliegue folclórico de árboles navideños de ochenta países. Los árboles están llenos de palomas, pajaritos, frutas regionales, muñecos con vestidos típicos, sombreros, guitarras, figuras de paja, velas, luces, ángeles y productos regionales. Tradiciones ancestrales iluminadas en una u otra forma por el nacimiento de Jesús y la fe en una vida mejor.

Navidad con sabor latinoamericano

Las familias católicas hispanas, junto al árbol navideño adornan en sus casas el PESEBRE, NACIMIENTO, BELÉN O PORTAL, con figuras de madera, barro, papel mâché, terracota o porcelana. San José, la Virgen, la mula y el buey se ven acompañados de multitud de creaciones ingeniosas que atraen cada año a niños y adultos a contemplar los nacimientos en iglesias y hogares. Los "pesebres eléctricos, de movimiento" arreglados primorosamente por los franciscanos atraen a niños y grandes a la iglesia de la Porciúncula, en Bogotá, Colombia. Cada día de la novena van llegando más pastores, aumentan los rebaños y casitas, brotan lagos y crecen montañas, cruzan nuevos trenes eléctricos, molinos de viento, satélites e inverosímiles creaciones de ciencia ficción, un aumento de alegría y colorido navideños en la capital colombiana.

A través de los siglos las familias latinoamericanas han revivido estas costumbres adaptándolas a las distintas regiones. Después de la Misa, llegados al hogar en la madrugada de Navidad, los niños arrullan con cantos de cuna a Jesús recién nacido. Junto al pesebre, amigos y vecinos, ricos y pobres, cantan villancicos y saborean la deliciosa cena navideña. Niños y grandes, viejos amigos y pobres desconocidos se refugian del frío invernal en las Posadas y abren alegremente los regalos aparecidos como por encanto junto al árbol navideño.

Durante veinte siglos el nacimiento de Jesús ha renovado la fe y la alegría cristianas. En Navidad celebramos la inocencia infantil donde la ternura divina con la humanidad se manifiesta en el rostro humano de un niño que sonríe y llora en la cuna. La Navidad es la fiesta de los niños, donde los viejitos Santa Claus y Papá Noel manipulados para aumentar ventas de almacenes ensombrecen la alegría espiritual de Navidad. Hacer compras es el gran pasatiempo de los norteamericanos cuando salen de casa. Utilizando la tarjeta de crédito *Visa* la gente gastó en 1994, 747 millones de dólares el viernes siguiente al jueves de Acción de Gracias, cuando la compulsión a comprar es incontrolable sin atención psiquiátrica. Pagando a crédito, sin saber si tendrán el dinero, las compras subieron en 1994 un 32% con respecto a años anteriores. Con bolsas llenas de regalos para aquellos de quienes esperaban otros regalos, muchos se vieron de repente con la cartera y el corazón vacíos. Hasta el 19 de diciembre de 1994 la gente había depositado en las oficinas de correos 17 mil millones de paquetes y tarjetas y sólo ese día los correos norteamericanos sellaron 250 millones de unidades. Si llevaran algo a los necesitados, Jesús nacería en sus corazones y su Navidad brillaría con la alegría de los pobres.

Los relatos y estadísticas presentados en este libro, cuya fuente no siempre se cita para aligerar el texto, confirman la triste realidad de gentes con hambre y sin techo fuera de su patria. El canto de los ángeles nos invita a luchar contra la violencia y la injusticia mundiales, a llevar pan y calor humano a tantas familias tristes, sin Posada. En las nueve noches antes de Navidad, aunque falte el sacerdote, la comunidad hispana recuerda su historia[3] y se identifica con millones de exiliados, marginados y segregados, con hambre y sin techo, que batallan fuera de su patria buscando Posada como José y María de paso por Belén.

II

NAVIDAD LATINOAMERICANA Y POSADAS NAVIDEÑAS

Las Posadas en México

Las costumbres navideñas españolas mencionadas en la Introducción, cruzaron el Atlántico y los novohispanos celebraron con gran colorido la novena o nueve noches antes de Navidad, recuerdo de los nueve meses que Jesús estuvo en el seno de María, que llamaron las Posadas. En algunas partes las Posadas, que incorporan tradiciones indígenas, se celebran los viernes de diciembre y recuerdan el rechazo que sufrieron José y María antes de nacer Jesús. La gente de Belén no se conmovió a la vista de una madre próxima a dar a luz. No sólo los parientes cerraron sus casas: ¡la humanidad misma negó Posada a su Dios! Rechazado por los suyos, Dios fue acogido por la áspera ternura de dos brutos animales, en una cueva maloliente fuera de la ciudad. El canto de los ángeles se mezcló con el llanto del niño martirizado por las toscas pajas de la cuna. Pocos creyeron en ese Niño que dejaba de llorar cuando cantaban los pastores, desamparado en una canoa como alimento para el mundo, el Hijo del Hombre perseguido hasta morir en una cruz.

En contra de una tradición de dos mil años algunos afirman que la Sagrada Familia no fue rechazada por parientes y amigos en Belén, sino que José y María prefirieron buscar en las afueras un lugar tranquilo para el nacimiento de Jesús, pero que no fueron rechazados. Si la Sagrada Familia hubiera sido adinerada, "Poderoso caballero es don dinero", ciertamente el hijo de Dios no habría nacido en una cueva abrigado por el calor espeso de dos brutos animales. Tales gentes olvidan que Jesús prefirió sumarse a la mayoría de los habitantes de la tierra que son pobres, rechazados, discriminados y sin voz. El Hijo de Dios escogió nacer en la pobreza y Navidad es el misterio del lugar más bajo donde Dios llora, es ignorado, marginado, segregado y perseguido. Los animales, los pobres y los ángeles fueron los primeros compañeros de Jesús. En las Posadas de Navidad renacen la esperanza y alegría cantadas por los ángeles, cuya música ha alegrado durante veinte siglos los corazones acariciados por el amor de Dios.

La comunidad de fe camina en procesión por el vecindario durante nueve noches antes de Navidad, con oración y cantos de esperanza. Cada noche de las Posadas amigos y parientes reunidos en un hogar distinto, escuchan un pasaje del Evangelio con oraciones, letanías y villancicos, y repiten el canto de los ángeles cuando nació el Señor. La procesión va golpeando de casa en casa pidiendo hospedaje en puertas que se cierran a su paso como les sucedió a María y José antes de nacer Jesús. Un rechazo de siglos continúa hoy contra exiliados sin techo: palestinos, ruandeses, haitianos, cubanos y contra miles que han muerto de hambre entre moscas en Somalia. Esta segregación en rincones desconocidos del planeta que nunca aparecerán en televisión, la experimentan también miles de hispanos discriminados en Estados Unidos. En las Posadas sufrimos por el odio que ha derramado sangre hermana en Irlanda del Norte, en Bosnia y África del Sur, en las Américas y en el Medio Oriente. En las Posadas navideñas también oramos por los pandilleros de ojos drogados y medallas al pecho, que secuestran, violan, torturan, matan víctimas inocentes y manchan con sangre nuestras calles.

La fiesta de la Virgen de Guadalupe, el mes doce, doce días antes de Navidad, prepara la llegada del Niño con una Misa nocturna y el canto de las Mañanitas, cariñosa felicitación a la Virgen que espera el nacimiento de su Hijo. Las fiestas navideñas culminan el 24 de diciembre, cuando toda la comunidad prepara la última Posada y recibe a los peregrinos. Toda la noche es una vigilia orando y cantando en la oscuridad de la noche a la luz de velas y antorchas, hasta que nazca el Salvador al amanecer. Niños pastores entonan las "pastorelas", representan la Anunciación y el Nacimiento, alternan oraciones, cantos y comentarios de profunda devoción y los chistes espontáneos aumentan la alegría navideña. En los campos donde no hay iglesia, se arregla un lugar amplio para la reunión. En la Misa de mediano-che, o "del gallo" se cantan villancicos y los pastores arrullan con tiernas canciones de cuna al Niño-Dios.

En la madrugada de Navidad del noveno día, último de las Posadas, después de la Misa de medianoche, las familias se reúnen a celebrar con la cena navideña el cumpleaños de Jesús, un niño inocente que nació semejante a nosotros en todo menos en el pecado. Todos han contribuído en alguna forma con los olorosos platos típicos preparados una vez al año para Navidad, cuando la mesa familiar se abre al vecindario: tamales, buñuelos, natilla, atole, ponche de frutas, rompope, ensalada poblana, pavo, vinos generosos y exquisitas variedades regionales. Familiares y amigos reparten los regalos entre saltos y gritos de sorpresa de los niños cuyos ojos curiosos no se han apartado del árbol. Un olor navideño impregna los hogares de música, coplas, aguinaldos, ruido de juguetes, comida, pólvora, piñatas y fuegos artificiales. Los pobres y marginados, rechazados hoy como la Sagrada Familia hace dos mil años, se alegran al ver puertas abiertas y recibir cariñosas visitas con regalos, juguetes y comida.

Las familias agradecen a Dios en las Posadas el nacimiento del Mesías prometido en el Antiguo Testamento, y dan la bienvenida a Jesús, un niñito que nació fuera de su hogar, pobre, desconocido y muy pronto perseguido por Herodes. Al recordar que Dios se hizo hermano nuestro, nos alegramos de ser todos hermanos y con la esperanza de Belén, luchamos unidos para que haya paz, alegría y amor por los demás. Durante Navidad recordamos cuántos hijos de Dios y hermanos nuestros, hoy son pisoteados por tiranos como Herodes en campos y ciudades de las naciones más ricas del planeta. Después de tantas noches de esperar, en Navidad brilla un nuevo amanecer, el sol de la fe, la justicia y el amor entre los pueblos que lleva al campo, a la ciudad y a las naciones esperanzas y alegría y deja en las familias recuerdos imborrables. La Nochebuena, el nacimiento de nuestro Redentor, renueva la esperanza de que tarde o temprano el corazón del mundo se abra a quienes están cansados de golpear en muchas puertas.

El día de Reyes, que llegan cargados de regalos para los niños, se buscan los padrinos que "levantarán" y vestirán al Niño, hasta entonces acostado y desnudito en el portal. Entonces se escoge a la persona que organizará las Posadas el año siguiente y se rifa el nombre de quien organizará la fiesta de la Purificación, el 2 de febrero, cuando terminan por fin las fiestas navideñas.

La Navidad en Latinoamérica

La veintena de países latinoamericanos incorporó las tradiciones españolas a sus distintos ambientes indígenas celebrando alegremente como una gran familia el CUMPLEAÑOS DE DIOS, con regalos para niños y ancianos y la típica cena navideña de NOCHEBUENA, el 24 de diciembre. En Navidad, fiesta infantil por excelencia, Jesús nace nuevamente en nuestros corazones. La fe en la ternura de Dios hecho niño revive cada año el colorido folclórico de tradiciones expresadas por siglos en una misma lengua y una misma fe. Las ventas de ocasión son una intrusión comercial que ensombrece la alegría espiritual navideña. Este no es tiempo de recibir al viejito Santa Claus, sino al niño Dios que hoy busca Posada por el mundo en cien millones de exilados que golpean de casa en casa sin techo ni trabajo. En Bolivia, después de la Misa del día de Navidad, en cada hogar se baila al son del canto quechua llamado "Huachitorito". Los mayores comienzan el baile en parejas unidas con pañuelos de colores, con los ojos fijos en el Niño-Dios sin darle nunca la espalda y terminan su baile de rodillas ante el nacimiento. Los dos niños más pequeños forman la parejita más joven del grupo y dedican el último baile de la madrugada al Niño-Dios acabado de nacer.

En Colombia a comienzos de diciembre, las familias salen al campo a recoger el musgo o lama para arreglar el pesebre o representación del nacimiento en sus hogares. Del 16 al 24 de diciembre, cada noche en una casa distinta, se reúnen varias familias para compartir la alegría Navideña, rezar la "Novena del Aguinaldo", cantar villancicos alrededor del pesebre y hacer apuestas navideñas. Después de la cena típica, con buñuelos y natilla, las familias se reúnen alegremente a lanzar voladores y luces de Bengala que iluminan como estrellas fugaces las noches navideñas.

En Santa Fe de Bogotá, Colombia, se apuesta a "hablar y no contestar": una Navidad mi padre uniformado de taxista, tocó el timbre en casa de sus amigos para avisarles que el taxi los esperaba en la puerta. Cuando contestaron al extraño taxista que nadie había pedido taxi, mi padre gritó: "Mis aguinaldos" ganando en la apuesta mucho dinero que fuimos en familia a entregar al asilo de huérfanos. Para esos huerfanitos como para nosotros la alegría por el nacimiento de Jesús, haría recordar por muchos años que Navidad es tiempo de sonrisas y esperanzas de una vida mejor. En Bogotá son famosos los pesebres eléctricos "de movimiento", que con frecuencia ocupan media iglesia y es famosa la iglesia de la Porciúncula donde los franciscanos cada día de la novena añadían sorpresas al pesebre eléctrico. Los niños íbamos a ver cuántos pastores más habían llegado, si los Reyes Magos montaban camellos diferentes y sobre todo cómo estaba la Virgen María. En Panamá, Colombia y otros países, los empleados reciben bonos, regalos o dinero extra durante Navidad, costumbre originada en España llamada "aguinaldo" o "prima de Navidad".

A pesar del régimen comunista, las tradiciones cristianas han continuado en Cuba y la aguda crisis económica ha renovado las costumbres navideñas. En Nochebuena se sirve la cena con lechón asado, arroz con frijoles y yuca y tanto en Navidad como el día de Reyes se abren los regalos. Guatemala celebra las Posadas nueve días antes de Navidad, cuando los abuelos invitan a su casa a hijos, nietos y bisnietos a la cena de medianoche, con tamales de pollo, puerco o pavo y ponche de frutas. Entonces se reza la novena, se coloca al niño en el nacimiento y durante media hora cohetes y voladores retumban por toda la ciudad. Es tradición el "robo del Niño": un pariente secuestra la figura del Niño Dios y lo devuelve el 2 de febrero, fiesta de la Candelaria, "pagando" por el robo con una gran fiesta, término de las fiestas navideñas.

En Puerto Rico grupos de amigos reunidos en las noches de diciembre en las plazas públicas comienzan a afinar sus instrumentos musicales: la guitarra, el cuatro, el güiro, la raspa, las maracas… Conjuntos de copleros van de casa en casa por las calles pidiendo Posada y cantando villancicos al Niño Dios. Son las Parrandas y Romanías navideñas seguidas por grupos de niños que repiten los cantos para ganar unos centavos. Los cantores aumentan por las calles durante la Novena del Aguinaldo, y con increíble agudeza la gente improvisa coplas alusivas al nacimiento de Jesús. Al terminar la velada se da Posada a los cantores que comparten con la familia el suculento lechón asado puertorriqueño, arroz con gandules, perdiz, arroz con dulce, pasteles y turrón de alicante. En Puerto Rico son populares los asaltos, en los que después de media noche los músicos toman por sorpresa hogares de amigos que no tienen más remedio que obsequiarlos con bebidas y platos típicos. La víspera de Reyes, antes de acostarse, los niños dejan al pie de sus camas yerba para los camellos. Al día siguiente los regalos han ocupado el sitio de la yerba.

En Perú los "pastorcitos" salen a las calles a bailar al son de música andina y a cantar villancicos y en los pueblos jóvenes comienzan a celebrarse las Posadas. En Chile, diciembre es "tiempo caliente" y en Navidad las familias se vuelcan a las calles que se cierran para que todos compartan sus comidas típicas. En Centroamérica, en el Brasil y en los países del Cono Sur, las celebraciones terminan el seis de enero, fiesta de los reyes magos, cuando se reparten los regalos. En estas y otras formas según los distintos países, Jesús vuelve a nacer en la comunidad latinoamericana.

Navidad, fiesta universal y herencia hispanoamericana

En los nueve días de las Posadas navideñas, renovamos nuestros valores hispanos y religiosos al abrir nuestras casas y celebrar nuestra fe con oración, abrazos, comida, villancicos y pólvora, compartiendo lo que tenemos. La sencillez de los pastores asoma a rostros de grandes y pequeños. Los cantos y oraciones agradecen a Jesús el haberse convertido en uno de nosotros, enseñándonos que somos amados por Dios sin condiciones. En las Posadas abrimos el corazón a Jesús niño y al hermano que sufre y deseamos ser como Jesús, regalo y fiesta para todos. La hospitalidad hispanoamericana se renueva al decir de corazón: "mi casa es tu casa".

Los obispos norteamericanos comienzan su carta pastoral de 1983 sobre la PRESENCIA HISPANA diciendo: "En este momento de gracia, reconocemos que LA COMUNIDAD HISPANA entre nosotros es UNA BENDICIÓN DE DIOS". Los Obispos enumeran los valores hispanos esenciales para el servicio de la Iglesia y de la sociedad, como el profundo respeto a las personas, el amor en las familias y un maravilloso sentido de comunidad que goza celebrando los distintos acontecimientos de la vida a la luz de la fe. La cultura HISPANA, escriben los obispos, es la CULTURA EUROPEA MÁS ANTIGUA en NORTEAMÉRICA.[4]

A través de veinte siglos, la Iglesia ha trabajado sin descanso para entregar limpio el mensaje de Jesús, adaptándolo a las distintas culturas, primero por medio de los Apóstoles y después por medio de concilios y disposiciones pastorales. Hace treinta años el Concilio Vaticano II trató de actualizar la Iglesia renovando el mensaje de esperanza, libertad y amor que Jesús predicó. Los documentos de Medellín, Colombia y Puebla, México, siguiendo el método de VER, JUZGAR Y ACTUAR, trazan orientaciones magistrales para Latinoamérica, adoptadas por otros países. El capítulo tercero y las reflexiones para las nueve noches, nos hacen VER Y JUZGAR la triste historia de tantas personas pobres y víctimas de violencia y nos indican cómo ACTUAR para mejorar la situación. El capítulo cuarto explica detalladamente cómo ACTUAR y celebrar las Posadas y al final del libro aparecen los cantos navideños que alegran año tras año las personas favorecidas por el amor de Dios.

En las guerras los truenos de cañones y helicópteros son reemplazados por música navideña y es sagrado el alto al fuego en Navidad. Paz y amor consuelan a pobres y exiliados al recibir comidas y regalos, y alegrarse con campanas y música navideña como NOCHE DE PAZ, que renueva la alegría del canto de los ángeles cuando nació Jesús.

A doce kilómetros de Salzburgo, patria de Mozart, en el pueblito de Obendorf a orillas del río Salzach, sobrevino una catástrofe al ensayar los cantos navideños: era el 23 de diciembre de 1818 y ¡el órgano de la iglesia de San Nicolás no funcionó! El párroco Josef Müller, escribió de prisa NOCHE DE PAZ, NOCHE DE AMOR... que entregó a su amigo Franz Grüber, maestro de escuela que reemplazaba al organista, pidiéndole que compusiera inmediatamente algo que se pudiera tocar en Navidad en un instrumento distinto al órgano. Grüber adaptó la letra para la guitarra en una canción que encantó a los fieles esa noche. NOCHE DE PAZ hubiera muerto entonces, si quien vino a arreglar el órgano no la hubiera encontrado por casualidad en un papel tirado en el suelo que entregó a unos cantores tiroleses que viajaban a Estados Unidos. Los tiroleses la cantaron por las calles de Norteamérica donde fue un éxito inmediato. Después de muchos años NOCHE DE PAZ regresó desde América a Austria, donde la mayoría de las canciones navideñas comenzaron en la calle para luego ser aceptadas por la Iglesia. Primero en la Iglesia, luego cantada por las calles del mundo, NOCHE DE PAZ, canción favorita en el repertorio navideño internacional, renueva el canto de los ángeles con deseos de Posada para todos, de paz y amor para todas las personas amadas por nuestro Padre Dios.

Estas páginas pretenden animar nuestras comunidades cristianas. Las Posadas Navideñas iluminadas por los relatos evangélicos, nos descubren año tras año el MISTERIO de un Niño que nació y murió "por nosotros y por nuestra salvación",[5] para que vivamos alegres en un mundo donde brillen justicia, amor y paz universales.

III

POSADAS NAVIDEÑAS, INVITACIÓN AL CARIÑO Y COMPASIÓN CON LOS DEMÁS

Hace dos mil años José y María no encontraron Posada en Belén y en el siglo veinte cien millones de personas fuera de su patria, con el estómago vacío, buscan en vano una Posada. En Estados Unidos gentes venidas de todo el mundo y varios millones de hispanos, son marginados, segregados, despreciados, sin Posada, como la Sagrada Familia que encontró cerradas las puertas en Belén.

Hoy mil cien millones de personas
tienen hambre en el mundo.
Cien millones de refugiados huyen
de su patria sin dejar huellas como pajaros en vuelo.

FALTA DE TECHO Y MISERIA MUNDIAL. Un día de abril de 1994, en veinticuatro horas, un cuarto de millón de ruandeses huyeron a Tanzania, a Zaire, a Uganda, a Burundi para salvar sus vidas en la masacre tribal de los Tutzis contra los Hutus. En cuatro semanas tres millones de ruandeses huyeron de su patria en el éxodo más trágico de la historia. De la noche a la mañana creció la mayor ciudad de Tanzania y en las afueras de Kigali huía de la muerte una multitud extendida a lo largo de veinte kilómetros. Desde abril hasta julio de 1994 medio millón de personas fueron asesinadas en Ruanda que contaba con 7.4 millones de habitantes, de los cuales tres millones huyeron, dos millones desaparecieron, 120.000 niños murieron, 200.000 niños quedaron huérfanos, cincuenta mil personas fueron asesinadas en dos semanas y siete mil cadáveres fueron enterrados en tres días, víctimas del cólera cuya epidemia acabaría con 40.000 vidas. En Haití, la Ruanda del Caribe, donde la entrada anual per capita es de $150.00, miles de haitianos que huían de su patria para salvar su vida, murieron ahogados en el mar y del 3 al 8 de julio de 1994, diez mil de ellos rescatados del mar, fueron repatriados para ser torturados o muertos en su patria de donde habían huido para vivir. Desde que Colón desembarcó en la Española, hoy Haití, en 1492, la opresión ha dominado el país, hasta 1994 cuando la presión internacional por una solución pacífica logró desalojar la dictadura restituyendo a Jean Bertrand Aristide elegido democráticamente en 1990.

En 1983 buscaban asilo en Europa Occidental 30.000 personas que aumentaron a 680.000 en 1992. Con el final de la guerra fría el país más afectado fue Alemania, donde los refugiados aumentaron de 121.000 en 1989, a 438.000 en 1992. En 1992 los refugiados eran 7.2 millones en Asia, 5.4 millones en África, 3.6 millones en Europa, un millón en Latinoamérica, en Estados Unidos disminuyeron ligeramente a medio millón y millones de refugiados vagaban por el resto del mundo. Las Naciones Unidas informaban en 1992, que una entre 130 personas eran refugiadas, un total de cuarenta y seis que, como María y José en Belén, golpeaban en vano en muchas puertas, sin techo ni trabajo, con el estómago vacío. En 1994 los exiliados aumentaron a cien millones y uno de cada cinco africanos había huido de su patria sin dejar huellas como pájaros en vuelo.

Las Naciones Unidas informaban en 1990 que UNA CUARTA PARTE DE LA POBLACIÓN DEL MUNDO, vivía con hambre y según el Banco Mundial en 1994 más de mil cien millones de personas subsistían con menos de un dólar por día. Cada día hay más pobres en el mundo, mientras los poderosos multiplican sus riquezas. En el río Misisipí los barcos-casino que operan en la frontera de Illinois con Iowa producen a cada uno de los siete dueños más de un millón de dólares mensuales. Durante el gobierno de Reagan los millonarios aumentaron en Estados Unidos unas catorce veces. En 1980, l6.881 personas ganaban más de medio millón de dólares al año. En nueve años fueron once veces más numerosos, llegando a ser 183.240 en 1989 quienes ganaban más de medio millón de dólares anuales. De 1980 a 1991 quienes ganaban más de cincuenta mil dólares anuales aumentaron a diecinueve millones de personas y quienes ganaban más de setenta y cinco mil dólares al año aumentaron a quince millones de personas, un crecimiento del 15% de ricos en diez años. Los relatos de esta bonanza económica no mencionan a los pobres,[6] gracias a quienes otros se enriquecieron. La pobreza alarga sus tentáculos sobre todos los continentes. Mientras gentes adineradas tienen dos o tres residencias vacías durante el año, en muchas ciudades norteamericanas viven varias familias en un cuarto ¡y cincuenta personas tienen que compartir un servicio sanitario! En Michigan, insensible a la miseria humana, una señora vive pidiendo dinero para cuidar a mil gatos extraviados. Mil millones de hambrientos vagaron por el mundo en 1991, mientras los norteamericanos gastaron ese mismo año ¡mil millones de dólares en insecticidas para perros!

GENTES SIN TECHO, HAMBRIENTOS Y ENFERMOS MENTALES. En Estados Unidos, el país más rico de la historia, se calcula que en 1993 había entre 400.000 y tres millones de personas sin techo. Tres cuartas partes de las personas sin techo son hombres solteros de unos 36 años; 25% viven en familia dirigidos por una mujer; 35% de ellos abusan del alcohol o la droga, tienen serios desórdenes mentales y muchos han estado confinados en cárceles o en centros detoxificantes; 80% de ellos no tienen trabajo y su entrada mensual es inferior a $137 dólares mensuales. A pesar del invierno de 1994 en Aurora, Illinois, noventa personas tuvieron que refugiarse en carpas. En 1994 Pete Wilson, gobernador de California hizo desalojar a miles de hispanos por vivir en "sitios inhabitables", arrojándolos a la calle sin construirles una Posada como refugio.

El Centro de Estudios sobre el Hambre y la Pobreza de la Universidad Tufts, informaba que la falta de comida aumentó en un 50% desde 1980 hasta 1992 y que en 1993 TREINTA MILLONES DE NORTEAMERICANOS, (diez millones de ellos menores de doce años), VIVÍAN CON HAMBRE. Seis millones de pobres no recibían cupones de comida y diez millones de quienes los recibían tenían hambre. Otros siete millones de personas vivían con hambre por no recibir sus cupones y cinco millones de personas con ingresos superiores al nivel de pobreza, también tenían hambre. Cuarenta y siete por ciento de las personas sin techo en Estados Unidos, no recibían cupones de comida. El servicio nacional de noticias informaba en septiembre de 1992 que la pobreza en Miami era comparable a la del Tercer Mundo y un grupo de economistas afirmó que a principios del siglo veintiuno Estados Unidos sería país del Tercer Mundo. En Estados Unidos quienes carecen de hogar tienen derecho a recibir de $57 a $137 por mes, pero el 17% de ellos no reciben ese dinero puntualmente.

En el invierno de 1987 descubrí a un hombre que llevaba tres meses durmiendo sobre el cemento frío, escondido en la torre de mi iglesia en Chicago. Después de varias semanas sin comer, soportando temperaturas bajo cero, estaba medio congelado. Comió vorazmente tres platos de sopa que le preparé y mientras lo llevaba al hospital me contó su historia: de abuelos inmigrantes europeos, se graduó de ingeniero y trabajó en una compañía importante. Cuando trágicamente perdió a su esposa e hijos, se dedicó a la bebida para olvidar su soledad. Ese mes completaba quince años durmiendo debajo de árboles y puentes o escondido en las iglesias. Cuando supo que había negros en el albergue que le conseguí, se negó a ir a sitio para él "tan inmundo". Lo llevé a otro lugar donde fue recibido con cariño. Dos semanas después, un olor pestilente me llevó a descubrir un hombre dormido en un rincón oscuro de la iglesia entre vómito, sangre, excrementos y botellas. Era nuevamente mi amigo de cuarenta y cinco años que parecía de setenta. Comenzó a asistir a reuniones de Alcohólicos Anónimos y suspendió la bebida. Hablamos por última vez hace tres años y no pierdo la esperanza de que algún día regrese a contarme que se ha cansado de buscar cada noche un rincón diferente para dormir, como miles de personas que vagan por la inhóspita ciudad.

En 1991 el presidente George Bush quiso "descansar de sus vacaciones" en Texas, y dormir en Washington antes de volar a Australia. Los norteamericanos pagaron $100.000 por el avión presidencial, para que Bush descansara una noche en su cama de Washington. El avión presidencial cuesta $26.000 por hora, veinte y medio millones dólares por año. La reina Isabel de Inglaterra, según un documental presentado a fines de 1994, recibe de sus súbditos cerca de once millones de dólares anuales y el yate Britannia, cuando la familia real lo utiliza cuesta cerca de medio millón de dólares diarios, mientras miles de gentes duermen a la intemperie en Londres y Liverpool cerca de lujosos castillos vacíos. En 1989 no tenían techo 40.000 personas en Chicago, 65.000 en Nueva York, y en 1990 las personas sin techo aumentaron en Chicago a cuarenta y nueve mil, y en 1994 ¡las escuelas públicas de Chicago rechazaron a CINCUENTA MIL NIÑOS por no tener hogar! En 1994 el estado de Illinois gastó $240 millones de dólares en restaurantes, fiestas y viajes de placer para empleados públicos, mientras se reducía el número de maestros y policías por falta de dinero.

En los años sesenta el gobierno estadounidense cerró 80% de los hospitales psiquiátricos y 150.000 personas con severos desórdenes mentales, en 1992 vivían y dormían en los parques de Norteamérica. El Parque Central de Nueva York, conocido como el centro psiquiátrico abierto más grande del mundo, tenía en 1993 un solo psiquiatra, Alan Félix para 65.000 personas sin techo en Nueva York. La esquizofrenia es el cáncer de las enfermedades mentales y en 1992 vagaban por las calles de Norteamérica más de 200.000 esquizofrénicos.[7] **NIVELES DE POBREZA.** En Estados Unidos una familia de cuatro personas que en 1991 ganaba $13.359.00 al año se consideraba bajo el nivel de pobreza. Entre los años 1970 y 1993 se duplicó en Chicago el número de pobres. El 5 de septiembre de 1992, el New York Times informaba que en Estados Unidos había treinta y tres millones de pobres, (quince millones de ellos niños) una de cada siete personas ganaba menos de nueve dólares diarios, había cuatro millones y medio más pobres que en 1989, cuarenta y siete millones vivían en asilos y cinco millones no tenían dinero suficiente para comer y vestirse. En Estados Unidos veinticinco millones de personas subsistieron con cupones de comida y en Nueva York en 1993 aumentaron en veintitrés por ciento quienes recibían estos cupones. En 1990 había en Estados Unidos 33' 600.000 de hispanos, (13.5% de la población total), seis millones de ellos bajo el nivel de pobreza. En 1990 había 315.000 más hispanos pobres que en 1989 y el porcentaje de hispanos pobres aumentó del 13.5% al 21.1% en un año. Por otra parte, en 1990 los hispanos invirtieron ciento noventa millones de dólares en la economía norteamericana, a pesar de ganar anualmente cada uno cinco mil dólares menos que los no hispanos.[8] Y en 1992 los chiles mexicanos fueron los condimentos favoritos quedando la salsa de tomate Ketchup en segundo lugar. En 1988 los americanos nativos ("indios" americanos) eran 1.7 millones, una cuarta parte de los cuales vivía en extrema pobreza, en áreas dilapidadas, en chozas provisionales, durmiendo en automóviles. El común denominador del pobre es la imposibilidad de salir de su pobreza: una vez pobre, para siempre pobre, sin la esperanza de tener jamás un techo propio. Sin embargo, muchos políticos ciegos a la realidad alaban continuamente la economía norteamericana. En septiembre de 1992 había en Estados Unidos 36 millones de personas bajo el nivel de pobreza. Según la oficina del Censo de Estados Unidos, en 1993 los pobres aumentaron en un millón, sumando 39.3 millones de pobres en 1994 cuando las ciudades norteamericanas sufrieron la mayor invasión de pobres de los últimos treinta años.

En 1994 46% de latinoamericanos, es decir 196 millones de personas eran pobres, 94 millones indigentes, 18% no tenían agua potable, 30% no tenían electricidad y 42% carecían de servicios sanitarios; 47.5 millones de adultos eran analfabetos absolutos y 71 millones analfabetos funcionales y

93.3 millones de niños carecían de educación primaria, 18.5% de la población no tenía servicios de salud y 42.4% carecían de servicios de seguridad social que cubrían al 6% de salvadoreños, 96% de brasileños y a toda la población cubana. En la década del sesenta el quintil más rico de la población recibía el 70%, mientras los más pobres recibían el 2.3% y en 1994 el sector más rico recibía el 83% y el más pobre sólo el 1.3% de la riqueza latinoamericana. El Banco Mundial informaba que entre 1980 y 1990 hubo 42 millones más de pobres en América Latina, donde se considera pobre quien tiene un ingreso inferior al doble del costo de una canasta de alimentos básicos. La pobreza en Latinoamérica oscilaba en 1987 desde 12% en Argentina hasta 54% en Guatemala y según cálculos del Banco Mundial en el año 2000 habrá 296 millones de pobres, es decir 56% de la población latinoamericana. La pobreza extrema (el ingreso no cubre la canasta de alimentos) aumentó de 11% en 1984 a 34% en 1991 y la pobreza total (el ingreso no cubre los bienes y servicios mínimos) aumentó de 36% en 1984 a 68% en 1991. En 1970, en México el salario mínimo diario era de $27 pesos, es decir $2.16 dólares. En 1992, la moneda perdió tres ceros, el costo de vida se cuadruplicó y el salario mínimo era de $14 pesos, es decir $4.43 dólares diarios. Durante la década de los ochenta el salario mínimo disminuyó 80% y entre 1982 y 1990 se crearon 1.3 millones de empleos, mientras cada año 1.2 millones de jóvenes quedaban sin trabajo, un total de ocho millones de desocupados. La brecha entre ricos y pobres se ha profundizado monstruosamente: según los analistas existen en México en 1994 24 personas con fortunas superiores a mil millones de dólares y 40 millones de personas que viven en la miseria. Los capitales ganaron enormes intereses: México pagaba en 1994 12% de interés anual mientras los bancos norteamericanos pagaban sólo el 4%.[9] El programa nacional de solidaridad mexicana decía que en 1993 la mitad de los mexicanos vivían en la pobreza, el 20% de los habitantes de la zona conurbana de la Ciudad de México eran pobres y de los 85 millones de mexicanos, 18 millones vivían en la miseria. El proyecto de "modernización salvaje" emprendido al amparo de un fuerte Estado interventor, excluyó a las masas tradicionales e inutilizó multitudes. La mayoría de los indígenas viven con hambre en chozas con piso de tierra por cuyos huecos entra la ventisca. El dolor de los pobres, suave murmullo en la selva Lacandona en 1984, tomó seis ciudades por asalto en enero de 1994 y en las pantallas de televisión el mundo escuchó el grito de los Zapatistas. El primero de enero de 1995 los Zapatistas celebraron su primer aniversario con el día de la dignidad: "ser indígena es un honor, no una vergüenza". En los últimos diez días de 1994 el peso mexicano se devaluó en 50%: Estados Unidos inyectó cuarenta y dos mil millones de dólares a la economía mexicana resquebrajada por la fuerza torrencial de los Zapatistas, que desconfían tanto del presidente Zedillo como de su antecesor, "cuya demagogia pretende pacificar al pobre". Apoyados por el obispo católico de San Cristóbal de las Casas, los chiapanecos luchan para que México tenga un porvenir mejor que su pasado; ellos prefieren, como señala Carlos Fuentes, ser explotados y no marginados.

La Cadena de Televisión Hispana en Estados Unidos, informaba en 1993 que 70% de los nicaragüenses vivían en la miseria y ese mismo año los obispos peruanos decían que dos terceras partes de los peruanos no tenían comida suficiente. El 17 de diciembre de 1993 el *National Catholic Reporter* informaba en la página 12 que la economía colombiana era una de las más fuertes de Latinoamérica y el aumento de la producción colombiana creció más de un cinco por ciento ese año. Sin embargo, 11 millones de colombianos carecían de agua potable y de alcantarillas, 49% de los colombianos eran pobres y 18% vivían en la miseria, mientras el 20% de sus habitantes absorbían el 55% de la producción nacional. Dos por ciento de los terratenientes poseían el 63% de la tierra, mientras el campesinato subsistía con el 5% del agro colombiano. En Brasil la distribución de la riqueza es todavía más injusta: el diez por ciento de los brasileños gastan más del cincuenta porciento de la riqueza nacional, mientras la mitad de la población sobrevive con el 15% de la producción del país. En Brasil el 54% de los niños y el 65% de los adultos viven en la miseria. Unos 159.9 millones de latinoamericanos, es decir el 46%, son pobres y 93.5 millones de personas, es decir el 22% de la población latinoamericana, vive en la miseria. En las Islas Filipinas unas 100.000 personas viven de joyas y billetes rescatados de los basureros. Protegidos con máscaras para tolerar la fetidez, ganan hasta $200 mensuales, cuatro veces el salario mínimo.

CIUDADES ABANDONADAS, DESEMPLEO Y DISCRIMINACIÓN LABORAL. En 1904 Henry Ford tenía treinta y un empleados que aumentaron a 56.000 en 1920. Detroit era en los años sesenta la sexta ciudad más grande de Estados Unidos, y uno de los centros industriales más importantes del mundo y la ciudad creció de 285.000 habitantes a casi dos millones entre los años 1900 y 1930. Sin embargo en los últimos veinte años la población de Detroit se redujo a la mitad: los negros ahuyentaron a los magnates del automóvil que se refugiaron en la periferia, en un éxodo masivo comparable al de Ruanda. En 1994 todavía se sienten los efectos del odio racial: mansiones-Tudor, abandonadas por años, son compradas por lo que se debe a la ciudad de impuestos. Los nuevos dueños las arriendan durante varios años sin pagar impuestos y cuando estos palacios son inhabitables, sus dueños pagan por incendiar las propiedades y así cobran un cuantioso seguro.

En 1991 un millón de negocios se declararon en bancarrota en Estados Unidos, el desempleo subió al 8%, el 11.2% de hispanos quedaron sin trabajo y se cerraron cien almacenes Sears. California, séptima potencia mundial si fuera nación independiente, cerró entre 1989 y 1991, 750.000 fuentes de trabajo y en 1992 el desempleo subió al nueve por ciento. La empresa IBM, cuyo presidente ganaba ocho millones de dólares anuales, despidió en 1992 a 25.000 empleados por falta de dinero. En 1993 la fábrica de aviones Boeing anunció que despediría a 28.000 trabajadores. Ese mismo año la fábrica de automóviles General Motors a la que el gobierno reembolsó trece millones de dólares de impuestos, despidió a 4.500 empleados. El 13 de noviembre de 1991, Midway Airlines vendió miles de pasajes cinco minutos antes de declararse en quiebra y dejó abandonados a medianoche sin trabajo ni seguro en el aeropuerto de Chicago, a 1.500 empleados. Compañías multinacionales como IBM, Amoco, General Motors, Westinghouse, despiden sin preaviso a ejecutivos con decenas de años de servicio, pocas semanas antes de calificar para el retiro. Los reemplazan jóvenes inexpertos con sueldos de principiantes, quienes correrán suerte parecida después de haber gastado la juventud al servicio de "su" empresa. Se calcula que para el año 2000 habrá doscientos millones de desempleados en China. Estas cifras son continuamente superadas por el aumento geométrico de los desempleados cuyas lágrimas humedecen campos y ciudades por el mundo.

Nuevas formas de esclavitud existen en nuestros días. Pocos conocen por ejemplo, las privaciones de un conductor de transporte público en Chicago, que durante catorce años podía utilizar el sanitario solamente cada cinco horas. Esclavo del timón, sin poderse mover durante ocho horas diarias, al servicio de pasajeros ajenos a su enfermedad, se le formaron cálculos renales: arrojó tres cálculos y ha sido sometido a cinco operaciones. Como este conductor de autobuses urbanos, privados de libertad, doscientas millones de personas sufren y trabajan hoy en silencio como esclavos para llevar pan a la mesa familiar. Por todas las ciudades del mundo se ven personas durmiendo en los andenes y familias mendicantes sin trabajo, obligadas a robar para comer. Quien niega trabajo a la madre soltera, al que no tiene dónde pasar la noche, quien explota al indocumentado o al ignorante, cierra puertas y renueva la tragedia de Belén.

REFUGIADOS E INDOCUMENTADOS. Las Posadas navideñas no son únicamente el recuerdo de algo sucedido hace dos mil años en la cueva de Belén.

Hoy millones de personas sufren en silencio mientras muchos cristianos, ajenos al dolor ajeno celebran las Posadas navideñas derrochando como paganos en lujosos viajes, ropas y regalos. En 1994 más de cincuenta millones de refugiados buscaron asilo por el mundo y en 1994 uno de cada cinco africanos vivía exiliado de su patria. A Estados Unidos entran ilegalmente unos cien mil chinos por año, muchos de quienes pagaron hasta treinta mil dólares para dejar su país en busca de una vida mejor. Hoy como ayer, Jesús llama a nuestras puertas en dos millones de palestinos, 250.000 salvadoreños, tres millones de ruandeses, miles de haitianos, huidos de sus propios países para escapar de la muerte. La carga mayor la soportan países pobres como Pakistán que albergó casi 3 millones de refugiados afganos. A esos pobres sin influencia política y social como María y José, el mundo los rechaza, discrimina y explota, viven con hambre y sin esperanzas de trabajo. En 1984 entraron legalmente 543.900 inmigrantes a los Estados Unidos. Las patrullas fronterizas norteamericanas indican que en ese mismo año, el doble de personas, o sea 1'138.600, fueron rechazadas por carecer de documentos.

HISPANOS INMIGRANTES. En 1990 las patrullas fronterizas capturaron a 832.200 personas al cruzar la frontera entre México y Estados Unidos.[10] Muchos hispanos son perseguidos injustamente: por tener la piel bronceada, un policía ebrio golpeó brutalmente a un "ilegal sospechoso" que resultó ser un hispano nacido en Estados Unidos. El hispano sin armas se defendió y el policía murió al dispararse su pistola. Herido y sangrando, el hispano huyó de Estados Unidos donde la policía lo buscaba para matarlo. Como había escapado una muerte ilegal, violando las leyes internacionales, fue secuestrado de la patria de sus antepasados para poderlo matar legalmente, condenándolo a pena de muerte. Desde 1985 hasta 1994 este ciudadano americano esperó en la cárcel la pena de muerte, ¡por matar en legítima defensa a un policía ebrio que lo agredió injustamente! Aunque seis de los siete jueces lo declararon inocente en 1994, un nuevo juicio comenzaría para volverlo a condenar. En noviembre de 1993 un hispano con tarjeta de residente injustamente encarcelado en la frontera, se quejó a las autoridades y el oficial de inmigración fue reprendido por abuso de autoridad. Un año después el oficial de inmigración se vengó deportando injustamente al hispano a su país. El hispano acudió a un abogado para no ser deportado. Para entonces el caso había pasado a la Corte Suprema de Justicia y el abogado le informó al hispano que a pesar de haber sido tratado injustamente, ¡era imposible hacerle justicia en la Corte Suprema de Justicia!

La ciudad de Pomona en California, tuvo su primer alcalde hispano ciento ocho años después de fundada. Eddie Cortés fue apresado y maltratado por la policía que quedó sin palabras cuando en su taller mecánico este hombre sencillo mostró sus documentos de ciudadano estadounidense y Alcalde de Pomona. Su único crimen era parecer ilegal por tener piel cobriza. También en Pomona, sin orden de arresto, agentes de Inmigración violaron el santuario familiar e invadieron un hogar hispano donde raptaron dos menores en ausencia de sus padres. Diariamente miles de hispanos son discriminados, atropellados, privados de sus documentos y despedidos del trabajo. Mientras el proceso de ciudadanía para cualquier extranjero tarda siete años, los hispanos necesitan 15 años para obtener la ciudadanía norteamericana. Esta es la razón por la que sólo el 16% de los mexicanos entrados desde 1977 se han hecho ciudadanos y los hispanos tienen el índice más bajo de naturalización entre todos los grupos inmigrantes. En noviembre de 1994 la televisión hispana informó que los "servicios" de Inmigración y Naturalización habían "perdido"... ¡sesenta mil solicitudes de exilados centroamericanos! El organismo internacional America's Watch, presenta 80 páginas de informes sobre los disparos, torturas y abusos sexuales cometidos por las patrullas fronterizas norteamericanas. Los agentes del Servicio de Información, sin uniforme, violan torturan, disparan y asesinan a hispanos indefensos. Los reclamos contra estos atropellos, dice el informe, "se estrellan con la postura del gobierno de Estados Unidos, tan defensiva, inflexible y rígida como la de los gobiernos más abusivos del planeta"... Los hispanos son discriminados en las oficinas de correo, en la policía y como actores de televisión, donde los anglos son el 75%, los negros el 17% y los hispanos solamente el 1%. En los programas televisivos los hispanos aparecen en su mayoría como mendigos, lavaplatos y meseros de restaurante o niñeras. Debido a este silencio de los medios de comunicación mucha gente ignora que médicos, astronautas y científicos hispanos se han destacado como investigadores. La injusticia mundial infla más cada día la bolsa de hambre y discriminación que entristece a miles de gentes honestas que suspiran por llevar pan a la mesa familiar. **Para protestar contra los atropellos a los derechos humanos de los hispanos se ha instalado el teléfono (800) 99 BASTA.**

En 1992 llegaban más de dos mil personas cada día del sur del río Grande (Bravo), cruzando ilegalmente la frontera México-Americana, para huir del hambre, la tortura y la muerte en sus países. Estados Unidos el país democrático que denunció al mundo el muro de Berlín, construyó en 1968 en la frontera con México una cerca que electrocutó a miles de hispanos y en 1992 terminaba otra pared de acero más infranqueable que el muro de Berlín. Las medidas represivas del presidente Clinton redujeron de mil a cien por día el número de los ilegales que cruzaron la frontera en septiembre de 1993. Así se cierran puertas a gentes cuyo crimen es buscar trabajo para poder comer, mientras los excedentes alimenticios son quemados para sostener altos precios ficticios. La revista *Business Week* informaba en su artículo principal del 13 de julio de 1992, que los inmigrantes adinerados como dueños de negocios aumentaban las entradas del gobierno y los inmigrantes pobres también contribuían al gobierno trabajando, comprando y pagando impuestos. Los inmigrantes ganan anualmente más de $240 mil millones de dólares y pagan más de noventa mil millones de dólares en impuestos, mientras los Estados Unidos gasta sólo cinco mil millones de dólares en programas de bienestar ("welfare") para inmigrantes. Sin embargo estas gentes inocentes son continuamente discriminadas y maltratadas física y psicológicamente. La xenofobia y el racismo se agudizan diariamente en Norteamérica.

En Agosto de 1993, cuando California experimentaba la peor depresión desde 1930, el gobernador Pete Wilson, presintiendo su muerte política, tomó a los hispanos como chivos expiatorios. Wilson presentó la proposición 187 que negaría la ciudadanía a los nacidos en Estados Unidos de padres hispanos ilegales, exigiéndoles una cédula especial para controlarlos y negarles escuela y asistencia médica. Es falso que los hispanos lleguen a este país enfermos, sean perezosos, o que vivan del gobierno. Muchas parroquias de Chicago ofrecen alimentos, comida y dinero para renta, trasporte y medicinas. Sin embargo la mayoría de quienes utilizan estos servicios no son los hispanos que prefieren sufrir hambre a humillarse y recibir limosna. Los hispanos buscan trabajo hasta encontrarlo. Muchos regresan a sus países para no mendigar. Con frecuencia llevo alimentos a familias hispanas, incapaces de rebajarse a pedir limosna. Según un informe del Instituto Urbano de Washington, D. C. los dos millones de inmigrantes hispanos que viven en California aportaron a la tesorería estatal en 1993 una ganancia neta de doce mil millones de dólares (mucho más de lo que se gastó en ellos) y de California proceden la mayoría de los 800 millones de dólares que recibe anualmente el gobierno federal. Pero Wilson no pudo resistir la tentación de resucitar políticamente sacrificando a hispanos indefensos. Don Joaquín Blaya, Presidente de la Cadena Hispana de Televisión, denunció por este atropello a Pete Wilson como perseguidor de minorías. Como fuego por cañaveral se ha extendido la proposición 187 y algunos estados pretenden quitar beneficios a los residentes legales que no son ciudadanos. El 2 de noviembre de 1994 un grupo de hispanos se reunió para protestar contra la proposición 187. Niños de cuatro años llevaban cartelones que decían: "Los niños de Chicago apoyamos a los niños de California". "De la tierra somos, en la tierra estamos, la tierra es para todos, nadie es ilegal".

Quemados por el sol de la Florida o encorvados diez horas diarias recogiendo fresas, los hispanos arruinan su salud en los verdes valles de California y cojearán para siempre con lesiones incurables en la columna vertebral. Millares de niños migrantes nunca van a la escuela, pues sus padres cambian continuamente de sitio en busca de trabajo. El profeta de la liberación migratoria César Chávez, fallecido en 1993, asistió a 63 escuelas y como sus padres eran trabajadores migratorios, nunca terminó la escuela secundaria. Los trabajadores migratorios alejados de su familia, sin atención médica, en condiciones infrahumanas, son llevados al trabajo hacinados en camiones como animales, donde muchos mueren asfixiados, sin lograr su primer sueldo, inferior al salario mínimo. Quienes se atreven a protestar son entregados a la policía que los tortura antes de deportarlos como ilegales.

Los derechos humanos se violan continuamente en los viñedos. Una tercera parte de los insecticidas carcinogénicos no son indispensables para cultivar la uva. Los efectos tóxicos de la fumigación se extienden a muchas millas de distancia, donde la gente se enferma de cáncer o muere envenenada por el agua. A pesar de tanta muerte, fue casi imposible aprobar en California en 1975 la ley que prohibía el uso del DDT. Sin embargo, como los productores de uva habían patrocinado la campaña del gobernador Dumeige, esta ley es ignorada desde 1985. En Delano, una empresa vinícola hizo desaparecer las urnas de votación y sicarios pagados maltrataron o dieron muerte a quienes votaron contra el uso innecesario de pesticidas.

El estado de California gastó en 1985 catorce mil millones de dólares en agricultura y no tuvo dinero para poner avisos de alerta a los pesticidas, ocasionando así miles de enfermedades y de muertes. En San Diego, el 5 de agosto de 1985 Juan Chaloya, de 32 años, trabajó en un viñedo sin saber que hacía una hora había sido fumigado y murió antes de recibir atención médica. El niño Salvador Lianda, que acompañaba a su padre a los viñedos, murió de cáncer a los nueve años. La madre de Amalia Larios respiró pesticidas durante el embarazo y su hija nunca podrá caminar, pues nació en 1977 con una lesión inoperable en la columna vertebral. En una milla cuadrada de la aldea McFarland, California, once niños contrajeron cáncer y seis niños murieron en tres años. No se secarán fácilmente las lágrimas causadas por los pesticidas en una población vinícola de tres mil habitantes donde siete niños murieron de leucemia en cuatro años. Adrián Esparza tiene un tumor inoperable en el ojo y Dan Shephard nació sin pies ni manos: niños y familias destrozadas para siempre.

Muchos niños hispanos, afroamericanos y anglos jugarían sanos y alegres, si sus madres no hubieran bebido agua contaminada ni hubieran respirado vapores pesticidas durante el embarazo.[11] En una reunión de Pax Christi, César Chávez dijo en 1992 que los niños nacidos de inmigrantes en áreas agrícolas, nacían con el cerebro defectuoso y con una *probabilidad de contraer cáncer 1.200 veces* mayor que la de los niños del resto del país. Chávez dijo que en una sola calle de una población vinícola cada familia tiene por lo menos un niño que ha muerto o está muriendo de cáncer.

La Iglesia Católica, en Estados Unidos ha sido "Iglesia de inmigrantes" y su tradición de acoger a innumerables inmigrantes europeos se renueva hoy al tratar de absorber la impetuosa corriente migratoria hispana. En 1919 los obispos norteamericanos fundaron una oficina para los inmigrantes. Con un presupuesto de cuarenta millones de dólares anuales, los católicos ayudan hoy a cincuenta mil inmigrantes. Después de ser bienvenidos en cincuenta puertos de entrada, los inmigrantes reciben ropa, vivienda, alimentos y asistencia religiosa, educativa, médica y social. Los obispos norteamericanos afirman que para el año 2000, la mayoría de los católicos norteamericanos serán hispanos. Predicciones triunfalistas, olvidan que en Estados Unidos cada año 70.000 hispanos se convierten a la sectas, un desangre continuo que se inflige a sí misma la Iglesia Católica, demasiado fría, legalista y burocrática. Un estudio publicado en la página 3 del *National Catholic Reporter*, el 17 de diciembre de 1993, informaba que 65.8 % de los hispanos se identificaban como católicos y 24.6% como protestantes. Curiosamente este estudio informa que el 51% de los norteamericanos de ascendencia irlandesa son protestantes y sólo 33% de ellos son católicos.

Los Estados Unidos, después de México, España, Argentina y Colombia, ocupa el quinto lugar entre los países donde se habla español. Sin embargo, la continua inmigración y alta fertilidad de los hispanos los convierte en la minoría que más crece en Estados Unidos. Desde 1996 el crecimiento de los hispanos añadirá 870.000 personas por año a la población de los Estados Unidos. En el año 2020 los hispanos serán cerca de 41.4 millones (el 16.1% de la población)[12]; en el año 2050 habrá noventa millones de hispanos, es decir uno de cada cuatro norteamericanos será hispano y en el año 2000 México tendrá cien millones de habitantes.

Se calcula que para el año 2050, 53% de los norteamericanos serán blancos no hispanos; 23% hispanos, 14% negros, 10% asiáticos y 1% nativos americanos. Después del año 2030 la población blanca irá disminuyendo: en 1990 los blancos no hispanos eran el 70% que disminuirián al 53% en el año 2050; el año 2030 los blancos no hispanos menores de dieciocho años no sumarán ni la mitad de la población estadounidense y tres cuartas partes de la población la formarán los blancos mayores de 65 años.

Como extranjeros hemos sonreído al ser recibidos con cariño y como cristianos luchamos por la libertad y dignidad de hijos de Dios. Jesús nació en una cueva de animales, al morir fue despojado de su ropa y murió pobre como había nacido. Año tras año las Posadas renuevan la presencia de Jesús próximo a nacer e invitan a la comunidad a renovar los valores hispanos de hospitalidad, compasión y generosidad. La Sagrada Familia golpea de nuevo a nuestras puertas para que aliviemos en alguna forma a MIL CIEN MILLONES de personas con hambre que subsisten con menos de un dólar diario y a cien millones de refugiados, que suspiran lejos de su patria por una Posada, como José y María al llegar a Belén. Quienes fueron indocumentados, extranjeros y desempleados, hoy trabajan en paz y comen su pan con alegría, gracias a la ayuda de amigos, parientes y gentes buenas que les abrieron las puertas y el corazón. Como José y María, muchas familias con el alma cansada, que han soportado silencios de hielo y dolores no compartidos, siguen buscando hogar, trabajo, paz, prosperidad. ¿Qué haremos para que los refugiados no lloren más buscando en vano techo y pan, no pierdan la esperanza, termine su noche oscura y brille también para ellos la estrella de Belén?

Hogares sin amor en un mundo insensible que odia y discrimina.

La Navidad celebra el Misterio de Dios hecho hombre, rechazado y perseguido desde antes de nacer. Al amanecer del siglo veintiuno somos libres de rechazarlo como Hijo de Dios. También podemos ignorar sus enseñanzas, como los habitantes de Belén, cerrando el corazón a quienes angustiados golpean en vano en muchas puertas buscando Posada.

Nadie niega que debemos amarnos como enseña Jesús. Sin embargo hay frío en los hogares católicos, las calles están rojas de sangre, los abortos aumentan, entre cristianos hay millones de gentes con hambre y sin trabajo, los países ricos explotan a los pobres y cierran puertas a millones de exiliados. No sólo hay que preocuparse por los exiliados y hambrientos.

POBLACIÓN HISPANA EN LOS ESTADOS UNIDOS
DESDE 1950 HASTA EL AÑO 2050

Millones

Años	1950	1980	2000	2050
100				
90				■
85				■
80				■
75				■
70				■
65				■
60				■
55				■
50				■
45				■
40			■	■
35			■	■
30			■	■
25			■	■
20			■	■
15		■	■	■
10		■	■	■
5	■	■	■	■

1950 6 MILLONES 1980 15 MILLONES

2000 41.400 MILLONES 2050 90 MILLONES

Con facilidad se grita "¡Trabaje!" al pordiosero, despreciando y criticando a drogadictos y borrachos, sucios y malolientes. Es difícil comprender al limosnero, ayudar a quien te critica y perdonar a quien pagó para que incendiaran tu negocio, o dio tu teléfono para cobrar sus llamadas de larga distancia: ¡un millón de dólares diarios son pagados por personas ignorantes que su teléfono es utilizado por desconocidos! En casa hay que tener paciencia con la esposa desordenada y sucia, con el esposo que llega tarde sin avisar y con los vecinos cuyo estéreo hace temblar las paredes. Con frecuencia la familia y vecinos aguantan mal genios y borracheras y los hijos rechazados y sin cariño se entregan a la droga. Como en el hogar mueran la comunicación, el amor y la alegría, las hijas fracasan al buscar falsas ilusiones. Hogares sin amor envenenan al mundo con odio y discriminación.

CATORCE MILLONES DE ABORTOS se practican anualmente en China donde cada año desaparecen dos millones de niñas recién nacidas, 83% de los matrimonios usan contraceptivos y 25% son esterilizados. Como los padres quieren tener al menos un hijo sano, cerca de un millón de niños deformes son abandonados cada año en basureros y terminales de trasporte. El error de tener un tercer hijo lo paga una familia con una multa tres veces mayor a su salario anual. Cuando a una familia le nace un segundo hijo, ese año ninguna familia puede tener hijos en ese vecindario. Aun en los rincones más remotos de China, las máquinas de ultrasonido determinan el sexo del feto para exterminar a las niñas antes de nacer y durante el parto hay una vasija llena de agua para ahogar a las niñas inmediatamente nacen. En Estados Unidos se registran un millón y medio de abortos anuales. "Tarde o temprano eso tenía que suceder", comentan muchos padres. Con todo, en 1992 se registraron 20.000 abortos menos que en 1991, el número más bajo de abortos desde 1979. En la época de Cristo el mundo tenía 250 millones de habitantes, 500 millones en 1492. En 1994 la población mundial aumentaba en noventa millones por año y en el mundo había ese año 5.7 mil millones y 11.5 mil millones el año 2100. Afortunadamente el congreso del Cairo no logró aprobar el aborto para controlar la población mundial.

La mortalidad infantil en los Estados Unidos era en 1991 una de la más altas entre los países desarrollados: diez niños entre mil morían antes de cumplir un año y Estados Unidos es el país del mundo donde muere el mayor número de niños en su primer día de vida. En Latinoamérica la mayoría de los niños son pobres y la mayoría de los pobres son niños. En 1993 en Honduras cada hora morían cuatro niños por desnutrición. En la mayoría de los países el 50% de la mortalidad infantil acaece en la primera semana.[13] La mortalidad infantil oscilaba desde 18 por mil en Chile hasta 97 por mil en Bolivia, en los niños muertos antes de cumplir un año.[14]

Maltrato, hambre infantil y violación de los derechos humanos

La declaración universal de los derechos humanos invita a los pueblos y naciones a promover el respeto a los derechos y libertades humanas, ya que todos los seres humanos nacen libres e iguales en dignidad y derechos y deben comportarse fraternalmente en todo el mundo, sin distinción de raza, color, sexo, origen, posición económica, religión u opinión política. Toda persona tiene derecho a la vida, la libertad y seguridad y nadie estará sometido a la esclavitud, prohibidas absolutamente.

Según las Naciones Unidas, en 1994 se violaban los derechos humanos en ciento doce países del mundo, quedando la mayoría de estos crímenes impunes en Latinoamérica. Aún en el silencio del hogar se atropella la dignidad humana. Abusando de su autoridad, protegidos por las paredes del hogar, hijos, padres, cónyuges, niños, ancianos y enfermos son golpeados, maltratados y abusados, víctimas de la ira y de crímenes pasionales. Los hogares se convierten en cuevas de animales donde vuelven a derramarse las lágrimas inocentes del Niño Jesús, cuando la ira descontrolada maltrata al hijo indefenso o a la esposa víctima de los celos del esposo inseguro de su virilidad. En Estados Unidos cuatro mil niños fueron secuestrados en 1993, de los cuales uno de cada siete fueron rescatados y en 1994 seis mil niños por semana eran secuestrados, de los que sólo se encontraron catorce por ciento. En 1994 más de un millón de niños huyeron de su hogar en Estados Unidos. En 1993 en España diez mil niños sufrieron algún tipo de abuso y sesenta fueron asesinados. Los niños que eran llevados al hospital regresaban a sus casas a soportar peores maltratos de sus padres enfurecidos por haber sido descubiertos. El maltrato dice el informe, fue más numeroso en las clases adineradas españolas y de ordinario los niños maltratados descendían de padres y abuelos abusivos. Una agencia internacional de noticias calculaba en septiembre de 1992 que en España más de 250.000 niños menores de dieciséis años sufrían algún tipo de maltrato físico o psíquico aunque sólo fueran públicos un cinco por ciento de estos casos, considerados como secreto de familia. La Generalitat de Cataluña menciona siete tipos de maltrato: físico, psíquico, sumisión sexual, explotación laboral y sexual, maltrato prenatal y sumisión químico-farmacéutica (alterar exámenes de laboratorio para obtener droga).

La tortura familiar y el abuso sexual continúan por no escuchar a los menores o porque la mujer, que tiene 76 veces más peligro de ser maltratada por su amante que por su esposo, tiene miedo de informar. Una madre cansada del llanto de su hija de dos años colocó su manita entre una puerta que cerró violentamente, destrozándole los dedos. Las radiografías de una niña de tres años torturada por su padre, mostraban muchos huesos rotos y la columna vertebral dislocada. En Colombia dos mil niños fueron asesinados en 1993; en Canadá un niño por semana moría asesinado; en 1993 sesenta y tres y en 1994 sesenta y siete menores de 15 años murieron trágicamente en Chicago, con armas de fuego, o ahogados, torturados, quemados, o estrangulados. En Texas más de setecientos mil niños fueron abandonados por sus padres en 1992. El país más peligroso del mundo para esposos, novios y niños, es los Estados Unidos, donde desaparecieron en 1992 trescientos mil niños y 50.000 niños fueron asesinados desde 1979 hasta 1991, número igual al de los norteamericanos muertos en Vietnam. En 1993 veinte niños al día morían por armas de fuego y en 1994 cada día eran asesinados 5.300 en Estados Unidos. La cadena de televisión ABC informaba que un millón de niños fueron maltratados en 1994, uno cada diez segundos. En Estados Unidos CIEN MIL menores son abusados sexualmente cada día. En Atlanta, Georgia, una operadora de teléfonos se dedicó a combatir la violencia juvenil; muy pronto ciento cincuenta voluntarios de su compañía la acompañaron en una campaña que en 1994 contaba con nueve millones de voluntarios dedicados a exterminar la violencia juvenil. El congreso sobre población reunido en El Cairo en 1994 informó cómo la discriminación contra la mujer persiste en Africa y en algunas partes del Asia en la brutal costumbre de "circuncidar" a las niñas para subyugarlas sexualmente. En los países árabes, diez millones de niños son obligados a trabajar en lugar de ir a la escuela.

En muchas familias los castigos se convierten en violencia infantil, cuando los padres se olvidan de educar con amor y dan rienda suelta a sus pasiones. Los hijos se educan negándoles la televisión, el dinero semanal, golosinas, salidas o visitas, pero no maltratándolos, privándolos de cariño o comida, ni descargando la ira al castigarlos. Los tigres de circo se doman con látigo y fuego. Los niños sufren irremediables desórdenes emocionales cuando son maltratados, pues los golpes no educan a seres racionales. Se equivocan tanto quienes son muy estrictos como quienes son muy tolerantes para no perder el cariño de sus hijos. Si quieren educar a sus hijos, ambos padres deben estar de acuerdo en las órdenes y en los castigos.

El hambre infantil aumenta diariamente: doce millones de niños menores de doce años vivían con hambre en Estados Unidos en 1992, cuando miles de estudiantes menores de dieciséis años llegaban diariamente a 47.000 escuelas sin haber desayunado y la escuela satisfacía el paladar infantil con grasas, fritos, dulces, golosinas y comidas sin balancear. Veinticinco millones de niños de primaria quedaban sin comer en Estados Unidos en 1992, cuando no había escuela. Una niña de ocho años decía que se concentraba NO en sus tareas escolares sino en su estómago vacío. En 1993 dos millones y medio de niños se acostaron todas las noches con hambre y más de doscientos mil niños menores de 5 años murieron de hambre en México, donde los niños pobres recién nacidos, son frecuentemente raptados para vender sus órganos como si fueran repuestos usados de automóviles. En la Ciudad de México hay cuarenta mil niños abandonados, que continuamente usan drogas para olvidar sus penas y niñas de doce años tienen hijos por las calles. En Brasil cuatro niños sin hogar eran asesinados diariamente desde 1988 hasta 1990; 306 niños de la calle fueron asesinados en Río de Janeiro y 674 en Sao Paulo en 1991. El 23 de julio de 1993 un grupo de hombres armados dispararon desde un vehículo a cuarenta niños por refugiarse junto a un banco en Río de Janeiro. La sociedad clasifica a los que no tienen techo como "indeseables-desechables" y los gobiernos de Brasil y Colombia cometen impunemente genocidios masivos como parte rutinaria en la limpieza de calles. En Brasil, una noche de 1993, siete niños fueron fusilados por la policía por dormir en la calle. Estos son unos pocos datos de los abusos cometidos contra menores, ¡en países cristianos que celebran la Navidad!

En 1994 murieron 240 mil niños de poliomielitis y hambre y dos millones de niños han muerto en las guerras de los últimos veinte años, sin contar los millones de niños para siempre traumatizados por la guerra. En Estados Unidos había en 1994 sesenta y cuatro millones de niños de los cuales dieciséis millones eran pobres y en 1993 uno de cada cinco niños era pobre. El 31 de marzo de 1994, el *Chicago Tribune* informaba en primera página, que 240.000 niños vivían en la miseria en Chicago. La mitad de los niños de Chicago son pobres y uno de cada cinco es hijo de madre soltera menor de diecinueve años, que nunca terminó la escuela secundaria. En Chicago uno entre cuarenta niños ha sido trasladado a hospicios o a casas de adopción para evitar el descuido y el maltrato familiar.

JÓVENES Y PANDILLAS, DROGAS Y ALCOHOL. En 1992 había en Estados Unidos 68.000 jóvenes de dieciséis años sin hogar. Echados a la calle por sus padres, miles de jóvenes se entregaban a la droga, la prostitución y las pandillas. En 1993 había en Estados Unidos un millón y medio de niños abandonados por el padre. A la falta de atención y cariño de los padres responde la rebelión de los hijos, agrupados en 1.436 pandillas en 36 ciudades norteamericanas con 130.000 miembros y cerca de 1 millón de simpatizantes, aspirantes o activistas. Las pandillas fueron en un principio grupos de jóvenes rebeldes. Actualmente los pandilleros mayores de treinta y menores de diez años son cada vez más numerosos. Las pandillas en 1994 eran un 55% negros y un 33% hispanos. Los jóvenes rechazados en su hogar, refugiados en pandillas, alcohol, droga y sexo fácil, han convertido nuestras calles en sitios peligrosos e intransitables. En 1992 había en Los Ángeles 700 pandillas juveniles con 70.000 miembros, la mayoría hispanos. En 1976 hubo en Los Ángeles doscientas muertes pandilleras y en 1991 setecientas setenta y una; en la semana que el huracán Andrew destrozó la Florida, hubo 28 asesinatos pandilleros en Los Ángeles y durante el fin de semana del día del trabajo de 1992, veintiocho personas fueron asesinadas en Chicago donde en 1994 treinta personas murieron víctimas de pandillas. Cada vez más salvaje es la víspera de Todos los Santos, profanada como la fiesta del diablo: el 31 de octubre de 1994 en Detroit una niña murió, cien edificios fueron incendiados por las pandillas y trescientos adolescentes fueron detenidos. En algunas partes hay modestas conquistas: en el complejo multifamiliar "Cabrini-Green", foco de criminalidad en Chicago, entre 1991 y 1992 los crímenes, robos y asesinatos disminuyeron de 1.069 a 814.

"Soy lo que llaman una "mula", decía Liz, de catorce años, quien en Londres fue obligada a tragarse bolsas de plástico llenas de cocaína. Viajaría Nueva York y su carita de ángel alejaría toda sospecha. La acompañaba su amiga Michelle, muerta a los trece años antes de llegar al aeropuerto al explotarle en el estómago el paquete de cocaína. A los doce años Liz fue obligada por su madre a entregarse sexualmente cada semana a varias docenas de hombres. Su "dueño" con trajes de dos mil dólares, patrono de los mejores restaurantes londinenses, obligó a Liz so pena de muerte a convertirse en "mula de droga". Treinta mil jóvenes de ambos sexos se refugian anualmente en Covenant House de Nueva York, (teléfono (800) 388-3888), una organización católica cuyas puertas abiertas 24 horas al día reciben a cuantos buscan Posada.

La violencia policíaca así como el suicidio aumentan en los agentes de policía debido a continuas tensiones y a la incapacidad de controlar el crimen. Jóvenes y borrachos dueños de las vías, violan la ley impunemente y frustran a los agentes de tránsito. Se sabe que la mayoría de los cien millones de niños que vagan por las calles de las metrópolis del mundo consumen droga. Los 38.091 muertos en las carreteras por abusos de alcohol disminuyeron por primera vez desde 1961, gracias al estricto control de droga y alcohol en los vehículos. En 1991 murieron 41.508 personas en accidentes automovilísticos y 39.235 en 1992. En muchos estados que no toleran conductores ebrios, las muertes por accidentes de automóviles han disminuido en un 40% y en 1994 se destinaron setenta millones de dólares a programas para eliminar a los conductores ebrios. En el estado de Illinois por cada cien automóviles había en 1982 cuarenta y ocho conductores ebrios. Las severas sanciones contra conductores borrachos hicieron que Illinois ocupara en 1992 el primer lugar entre los estados norteamericanos en control de bebida en las carreteras, con un promedio de tres conductores ebrios por cada cien automóviles. Entre los años 1984 y 1994 los conductores ebrios disminuyeron en un 32% en Estados Unidos.

En el área de Uptown en Chicago estamos rodeados por una de las mayores concentraciones de enfermos mentales, drogadictos y alcohólicos del país, la mayoría abandonados por el cierre masivo de hospitales y de servicios psiquiátricos estatales. Día y noche cientos de enfermos recorren las calles de nuestro vecindario, gritando y rompiendo puertas y ventanas, drogados, entorpecidos o inmovilizados por psiquiatras irresponsables, satisfechos con dopar a sus pacientes sin brindarles terapia de apoyo. Los drogadictos armados y temidos por la policía, exigen ropa y alimentos que venden para comprar droga. Si no obtienen gratificación inmediata se convierten en incendiarios y destructores. Si estos enfermos recibieran adecuada atención psiquiátrica, alimentaríamos semanalmente en nuestro vecindario a más de quinientas familias con hambre. El abuso de drogas es acompañado por el SIDA, cuyas víctimas fueron en 1993 más numerosas que los muertos en las guerras de Corea y de Vietnam y se calcula que en el año 2000 habrá 10 millones de huérfanos de padres con SIDA. En los libertinos refugios de Nueva York, los pacientes de SIDA contaminan a los demás en proporciones alarmantes.[15] En 1993 había en Estados Unidos 56 millones de personas con enfermedades venéreas. El Dr. Everett Koop ex-secretario de Salud, afirma que la única prevención contra el SIDA es la fidelidad matrimonial absoluta, la abstención de drogas y entre solteros la completa abstinencia sexual. Esto requiere un compromiso social a todos los niveles, que enseñe a controlar la necesidad primitiva de satisfacciones inmediatas. En 1992 en Orlando, Florida, cuarenta y siete jóvenes cristianos juraron abstenerse de relaciones sexuales antes del matrimonio. Con el lema "True love can wait", estos jóvenes sumaron 102.000 a finales de 1992, y 500.000 jóvenes de ambos sexos en 1994 demostraron en una marcha en Washington, que EL VERDADERO AMOR SABE ESPERAR.

LAS ESCUELAS EN LOS ESTADOS UNIDOS. Cuarenta y siete millones de americanos no se graduaron en la escuela secundaria, más de un millón de jóvenes de ambos sexos abandonaron la escuela ese mismo año y en 1989 cuatro millones y medio de hispanos abandonaron la escuela secundaria. En lugar de asistir a clases, un joven delincuente viajó dieciséis veces a corte en automóviles robados en un pueblo de Nueva Jersey... Treinta millones de afroamericanos constituyen el doce por ciento de la población norteamericana y son más numerosos que los hispanos. Ochenta por ciento de los afroamericanos son protestantes, en su mayoría sin grados universitarios. El nueve por ciento de los afroamericanos son católicos y casi todos ellos terminan la universidad. Los médicos, científicos o profesores negros, intelectualmente preparados, viven alejados de los afroamericanos que tratan de imitar modelos que aparecen muy cercanos en las pantallas de televisión, fácilmente enriquecidos en el mundo del espectáculo y el deporte, o de las pandillas y la droga. Los partidarios de la esclavitud eran enemigos de la enseñanza como Martin Hugh Loyd contemporáneo de Lincoln que escribía: "Enséñale algo a un negro si quieres inutilizarlo y enséñale a leer la Biblia si quieres que jamás tolere la esclavitud".

Entre los hispanos la comunicación parece amordazada cuando a los niños se les castiga en la casa por hablar inglés, en la escuela por hablar español, y la barrera del lenguaje desnivela emocionalmente el hogar haciendo sentir a los padres inferiores a sus hijos. El choque cultural de los adolescentes recién llegados es otro contragolpe a su identidad: una estudiante de quince años recién llegada de Puerto Rico a Chicago, sin hogar por el divorcio de sus padres, me contaba que en su escuela secundaria los guardas armados contratados en cada piso para controlar la droga y la violencia, volteaban la espalda cuando había problemas, por miedo a ser asaltados por los estudiantes. En esa misma escuela los estudiantes llevan "beepers" y para conservar su vida, los profesores permiten salir de clase a sus alumnos, en continua comunicación telefónica con sus pandillas. Esta niña inocente temía ir a la escuela, pues sus compañeras la habían atacado por no pertenecer a sus pandillas. Tres meses después, al descubrirla escondida en edificios vacíos, entregada a orgías sexuales con amigos pandilleros, sus parientes la entregaron a otros parientes en Filadelfia.

En 1993 cien mil estudiantes llevaban armas a la escuela, donde 14.000 estudiantes y 260 profesores fueron atacados y 160.000 alumnos abandonaron por miedo la escuela secundaria. En 1994 en Nueva York 60% de los jóvenes entre doce y diecinueve años en lugar de lápices llevan pistolas, como protección, por miedo o para sentirse importantes y ese año la policía arrestó a 4.000 jóvenes de esa edad, que cometieron 55% de los crímenes en la ciudad de Nueva York. En muchas calles los avisos **Despacio, zona escolar** han cambiado a: **Peligro, zona escolar.** En 1986 quinientos jóvenes y en 1991 mil doscientos jóvenes de diez a diecisiete años fueron asesinados en Estados Unidos.

En septiembre de 1993 el gobernador de Nebraska, presidente de un nuevo programa educativo, presentó informes alarmantes: casi la mitad de los niños nacían con problemas de aprendizaje porque sus madres habían abusado del alcohol, el tabaco y las drogas; al mismo tiempo sesenta y tres por ciento de los estudiantes de primaria no eran vacunados. Al dieciocho de los alumnos de décimo grado se les ofrecía drogas en la escuela. En Chicago CASI MEDIO MILLÓN de personas no entendían las noticias del periódico ni las indicaciones sobre cómo utilizar el transporte público en 1992, cuando sólo uno entre seis jóvenes se graduó de escuela secundaria y se calcula que en 1993 había noventa millones de norteamericanos semi-analfabetos. En un concurso internacional de ciencias y matemáticas, el primer puesto lo ocupó Corea, seguida de Taiwán, Suiza, Hungría y Francia. Los estudiantes norteamericanos ocuparon el último lugar. Los sombríos relatos anteriores contrastan con logros educativos en Estados Unidos: en 1950 el 58% de los jóvenes de 25 a 29 años terminaron la escuela, cifra que aumentó al 85% en 1991; en 1950 el 8% de los jóvenes de 25 a 29 años se graduaron en la universidad y esta proporción aumentó a 23% en 1991.

Las Posadas navideñas, nos invitan a luchar contra la pobreza, el analfabetismo, la violencia, a aumentar el diálogo, el perdón y el amor en la familia, a consolar a los que sufren. Los cantos y oraciones a los santos peregrinos, invitan a sembrar el amor y comprensión en el hogar, hoy cuando el rechazo de los padres empuja a los jóvenes al analfabetismo o a una vida desgraciada y criminal. En las Posadas navideñas se canta y reflexiona cómo el amor seca lágrimas y hace sonreír rostros envejecidos de niños privados de su infancia.

TELEVISIÓN Y VIOLENCIA. Gran parte de los programas televisivos destrozan valores básicos como la justicia y el respeto por la vida, exaltando el sexo irresponsable, el odio y la violencia. Los estudiantes norteamericanos perdieron en 1989 doscientas cincuenta horas de estudio viendo cuatro horas diarias de programas televisivos violentos o indecentes.[16] Los hispanos ven al día 3.7 horas de televisión, oyen 3.2 horas de radio y gastan casi una hora diaria leyendo el periódico. El norteamericano ordinario gasta cerca de treinta horas y media por semana viendo programas televisivos mediocres, malsanos o violentos. En 1994 los niños veían 912 horas de televisión al año. En 1983 los programas infantiles presentaban un promedio de treinta y dos escenas violentas por hora, que en 1993 disminuyeron a dieciocho.

Desde 1950 se ha cuadruplicado en Estados Unidos el número de personas con armas de fuego y en 1993 había cien millones de armas en manos de particulares. Durante los ocho años de la guerra de Vietnam murieron 47.244 norteamericanos.[17] Las armas de fuego segaron la vida de MÁS DE 10.000 PERSONAS en 1980 en Estados Unidos. En 1993 las armas de fuego daban muerte a una persona cada catorce minutos, mientras ese mismo año en Inglaterra murieron asesinadas con armas de fuego solamente ocho personas. En 1989 en Chicago se cometieron 921 homicidios y 15.000 jóvenes desaparecieron. El 29 de abril de 1994 el Chicago Tribune informaba en primera página que los asesinatos aumentaron a razón de uno cada diez horas en la ciudad. Del primero de enero al 28 de abril de 1994, 291 personas, cincuenta más que el año anterior, habían sido asesinadas en Chicago, un 20% de aumento con respecto a los años anteriores.

VIOLENCIA Y DISCRIMINACIÓN. Lágrimas, sangre y fuego atormentan hoy a miles de personas en Irlanda del Norte, Suráfrica, India, Palestina, Israel, en los desaparecidos chilenos y argentinos, en Italia y Suramérica con los secuestros del narcotráfico internacional. En 1968 la cultura de Camboya fue arrasada. Quien usaba lentes era perseguido como revolucionario por los Kmer Rouge que asesinaron a millón y medio de camboyanos. Desde 1992 hasta 1993 más de doscientas mil personas fueron asesinadas en Boznia-Hercegovina y miles de niños inocentes murieron cubiertos de moscas en Somalia. Tres millones de personas fueron desplazados de Ruanda, ochenta sacerdotes, tres obispos y medio millón de personas fueron asesinadas en 1994 y la capital Kigali con 300.000 habitantes fue un gran cementerio con cien mil sobrevientes. En 1994 terroristas islámicos en Ruanda y Algeria y otros criminales en Afganistán, Somalia, Suráfrica y la antigua Unión Soviética, asesinaron a ciento quince periodistas (75 más que en 1993) para silenciar informes sobre violación de derechos humanos. En 1993 nueve turistas extranjeros fueron asesinados en la Florida y el asesinato ocupaba el tercer lugar como causa de muerte en los Estados Unidos, donde hubo 23.000 homicidios en 1993. Un estudio realizado en los barrios pobres de Chicago demostró que la mitad de sus habitantes habían sido asaltados robados o violados en 1993 y 74% de ellos presenciaron asesinatos, robos, actos terroristas o ataques a mano armada. El 2 de diciembre de 1994 la policía de Chicago informaba en el *Chicago*

Tribune en primera página, segunda sección, que mientras de 1965 a 1994 3.171 personas han sido asesinadas en Irlanda del Norte, en los últimos cinco años en Chicago han sido asesinadas 4.432 personas, debido al aumento de las pandillas, la droga y las armas de fuego que se han triplicado entre los jóvenes, quienes por la tensión en que viven es anormal no ser violento... En Washington, D.C., la capital y la ciudad más insegura del país, una de cada mil personas murió asesinada en 1993. En 1994 el presidente Clinton ofreció doscientos cincuenta millones de dólares a Irlanda si firmaba la paz, lo que de la noche a la mañana dejaría sin trabajo a veinte mil empleados que reparan los destrozos de la guerra. ¡Al firmarse la paz en Irlanda desempleo aumentaría a catorce por ciento!

En Colombia en 1991, se registraron 28.284 homicidios, un promedio de setenta y ocho homicidios diarios y entre los años 1985 y 1991, 142.953 colombianos perecieron víctimas de la violencia. En Colombia, 138 jefes de sindicatos fueron asesinados en 1990, más de la mitad de los jefes de sindicatos asesinados en todo el mundo en el mismo período. El número de desplazados por la violencia colombiana oscilaba en 1992 entre 150.000 y 300.000. Por otra parte, en 1990 Colombia invirtió $512.786 millones de pesos para combatir la violencia y desde 1988 hasta 1993 el presupuesto del Ministerio de Defensa colombiano aumentó un 218.8 %. En 1994 se cometían en Venezuela doce homicidios diarios y veinte delitos cada hora.

En 1994 México despertó a un nuevo amanecer: las torturas y genocidios del ejército finalmente salieron a la luz pública. A los miembros de Amnistía Internacional el gobierno permitió finalmente interrogar a pobres indios y campesinos escondidos y desconectados del mundo, cuyo llanto había sido sofocado. Amnistía Internacional encontró cientos de cadáveres de niños y gentes inocentes, asesinados por suplicar tierra y pan. La voz sencilla de Samuel Ruiz García, Obispo de San Cristóbal de las Casas, Chiapas, apoyando a los pobres, fue escuchada a pesar de la oposición del nuncio papal Girolamo Prigione. Finalmente el gobierno mexicano confió al subcomandante Marcos la supervisión de las elecciones presidenciales en el estado de Chiapas.

Millones de dólares se gastan en armamentos destructores o en satélites, que desde las estrellas no quitan el hambre, ni enjugan lágrimas de millones en la tierra. A pesar que el déficit estadounidense aumentaba diez mil dólares por segundo en 1994, cifra que crece geométricamente hace decenios, Estados Unidos es el país del mundo que más gasta en armamentos. Desde fines de los años setenta, los Estados Unidos en lugar de abrir fuentes de trabajo, envió al Salvador un millón de dólares diarios y gastó más de seis mil millones de dólares en armamentos que abrieron tumbas a cien mil Salvadoreños. Así se apoyaba la "democracia salvadoreña", donde catorce familias controlan el comercio, los bancos, el ejército, el gobierno, el país entero. Oscar Romero, el arzobispo fiel al Vaticano y amigo un tiempo de las catorce familias, fue mártir por denunciar a los poderosos cuando su amigo jesuita Rutilio Grande fue asesinado por los enemigos de los pobres. La Comisión de la Verdad de las Naciones Unidas descubrió al mundo los crímenes del gobierno salvadoreño en el genocidio de cien niños y mujeres en El Mozote, en el asesinato de Romero, de Rutilio, de seis Jesuítas y dos empleadas de la Universidad del Salvador. El gobierno del Salvador no escuchó a las Naciones Unidas y las velas prendidas para los mártires salvadoreños ignorados por el Vaticano, iluminan la esperanza de los pobres.

En nombre de la democracia se derramó sangre inocente y se perpetraron genocidios masivos en Nicaragua, Panamá, Chile, en el golfo pérsico... Los miles de muertos y millones de dólares perdidos en las insensatas invasiones de Grenada y Panamá no le importaron al presidente Bush cuyo alevoso comentario, "I don't give a damn" (Me importa un comino) encaja en la mentalidad de un criminal de guerra. Quienes cambiaron armas por rehenes, rodeados de lujo y guardaespaldas, mancharon su frente para siempre con el despreciable logro de haber destruido países indefensos. A esto se añaden millares de exiliados en barcos, "boat people" y miles de haitianos, los más pobres del hemisferio ahogados con su esperanza de libertad cerca de playas norteamericanas. En julio de 1994 trece mil haitianos fueron forzados por Estados Unidos a ser torturados o asesinados en su patria. En Sao Paulo, Brasil, la policía asesinó a 1.470 "personas desechables" en 1992, trescientas cinco personas más que en 1987. En Barranquilla, Colombia, en 1992 un grupo de guardias privados sistemáticamente asesinó y vendió los cadáveres de los recolectores de basura a la escuela de medicina de la universidad libre. En Pereira, Colombia, sesenta personas sin techo fueron asesinadas en veinte días. En ningún rincón del mundo es cierto que quien peca y reza empata: ni en América ni en Europa el asesino revive a sus muertos rezando Padrenuestros y en vano los afrikánders distorsionaron la Biblia para defender la segregación racial en Suráfrica.

Norteamérica se ha distinguido por recibir inmigrantes, pero en Estados Unidos también se discrimina. En los aeropuertos norteamericanos se abren las puertas a sicarios y hampones con pasaportes falsos, en busca de asilo político. Después de largas negociaciones, Estados Unidos decidió aceptar a 20.000 cubanos por año, pero los 50.000 cubanos detenidos en

Guantánamo y en Panamá serían deportados… La carrera en busca de oro ("gold rush") con la que California dejó de ser en 1849 una frontera perdida al fin del mundo, canceló la opinión de que América era un espacio ilimitado. Diez años después, en la bonanza económica de California, el ochenta porciento de los nativos americanos perecieron a manos de los colonizadores europeos. El estado de California reembolsó millones de dólares a los grupos de mercenarios armados que persiguieron, esclavizaron o exterminaron a los pacíficos nativos. "Nos volvimos salvajes y agresivos con la llegada de los blancos", comentaba el jefe de una tribu norteamericana. Una constitución escrita con el fin de proteger la igualdad para todos, segrega a quienes desde hace cincuenta mil años habitan en Norteamérica. Unos quinientos grupos de nativos americanos, discriminados en el siglo quince por colonizadores advenedizos, continúan relegados a las peores tierras, las reservaciones indígenas, donde se encuentran la mayoría de las minas de uranio. Los nativos americanos son el grupo más pobre en Norteamérica, con el porcentaje más alto de mortalidad, alcoholismo, suicidio, malnutrición y enfermedad. A miles de gentes buenas cuyo pecado es tener hambre y ser perseguidas en su patria, se les niega la entrada en nombre de la ley. En el país de la democracia todavía reina la ley del más fuerte y parece utópico el mensaje de Jesús de dar Posada al peregrino.

SECUESTROS, TRATA DE BLANCAS Y TORTURAS. En hoteles de cinco estrellas, miles de jóvencitas esconden sus lágrimas al sentirse explotadas en un mundo que ahoga a los que carecen voz. Gabriel García Márquez escribía al mundo que cien mil personas desaparecieron en 1957 en París. Treinta mil de ellas eran muchachas secuestradas para ser vendidas como carne para los prostíbulos de Suramérica y África del Norte. Después de cincuenta años de negarlo, el gobierno japonés aceptó haber raptado en la Segunda Guerra Mundial unas doscientas mil mujeres, colocadas como carnada sexual en "zonas de alivio y descanso" para sus tropas hambrientas de placer. Estas jóvencitas filipinas, chinas, holandesas, indonesias, malayas, coreanas, tailandesas, de Burma, Nueva Guinea, Hong Kong e Indochina, terminada la guerra fueron rechazadas por sus familias y lloran su tragedia desde 1941. En Estados Unidos de enero a julio de 1992, 360.000 mujeres fueron violadas, (32% de ellas menores de 17 años), un aumento de 56% de violaciones en seis meses. En 1994 en Estados Unidos cada quince segundos una mujer era maltratada por su compañero y 34% de adultos presenciaron los maltratos; cada minuto una de cada seis mujeres era violada y una de cada diez mujeres habrá sido víctima de violencia durante su vida.

CÁRCELES Y PRISIONES. Jesús perseguido, encarcelado y condenado a muerte injustamente, continúa vivo después de dos mil años en los presos, en los inmigrantes, en los marginados. En inglés se denomina cárcel el lugar donde están detenidos quienes no han sido convictos de un crimen o tienen una sentencia de uno a 365 días. Prisión es el sitio para los convictos y para aquellos cuya sentencia oscila entre 367 días y condena de por vida. Se considera civilizado un país con un promedio de cuarenta a cien presos por cada cien mil habitantes. En 1960 Estados Unidos tenía un promedio de 50 presos por cada cien mil habitantes. En el estado de Illinois, entre 1987 y 1992, los hombres encarcelados aumentaron 52% y las mujeres 104%; en Massachusetts y California aumentaron en un 170%, hasta el extremo de que cuando un nuevo preso entraba, otro le cedía su celda, habiendo cumplido sólo una tercera parte de su condena. En 1991 Estados Unidos era el país con el mayor número de presos: 1'056.875, es decir 426 presos por cada cien mil habitantes. Suráfrica ocupaba el segundo lugar con 119.682 presos, es decir 333 por cada cien mil habitantes y la antigua Unión Soviética ocupaba el tercer lugar con 769.000 presos, 268 por cada cien mil habitantes. Durante las administraciones de Reagan y Bush los presos se triplicaron y entre los años 1980 y 1991 aumentaron 140%. El 2 de junio de 1944 el *Chicago Tribune* informaba en la página tres, que el número de los presos estatales y federales se había triplicado entre los años 1980 y 1993, debido principalmente a la droga y el número de presos sentenciados a más de un año, había marcado un récord de 351 presos por cada cien mil residentes. "Los presos se han cuadruplicado en veinte años, pero no nos sentimos más seguros ahora que entonces", decía Marc Mauer, director asistente de Prisiones en Estados Unidos. Si el aumento de presos continuara en esta proporción, la mitad de los norteamericanos estarían presos en el año 2050. En los establecimientos carcelarios norteamericanos reinan la ociosidad, la droga y el vicio y en las cárceles se gradúan los profesionales del crimen y la impunidad. Educar un estudiante en Harvard cuesta veintiún mil dólares al año, mantener un preso cuesta veintisiete dólares al año y el costo de un preso anciano es de $69.000 anuales. En 1992, 26.000 presos eran violados sexualmente cada día.[18] En los últimos años algunas cárceles estatales han sido reemplazadas por cárceles privadas, que tratan de reeducar a los presos, con un gasto de unos $30.00 diarios. Sin embargo, la privatización carcelaria encuentra mucha oposición. Jesús, preso e inocente, espera una visita que haga florecer esperanzas en la cárcel.

ENFERMEDAD Y FALTA DE SEGURO MÉDICO. En el Canadá, "modelo de servicios médicos gratuitos", muchos pacientes mueren en casa esperando una operación urgente y en Estados Unidos ¡el promedio de espera en las salas de urgencia es de diez horas! En la guerra de Vietnam murieron 47.244 norteamericanos y en 1992 quince millones de cirugías innecesarias segaron sesenta mil vidas en Estados Unidos. Los hospitales norteamericanos cobraban en 1993 más de dos mil dólares diarios por paciente y en el hospital los remedios costaban veinte veces más que en las farmacias. Entre los años de 1973 y 1993 el costo de los servicios médicos aumentó en un trescientos por ciento y la recuperación de una cirugía mayor costaba mil dólares por hora. En 1993 treinta y siete millones de personas en Estados Unidos no tenían seguro de hospital y en 1994 eran cuarenta millones. En 1987 vivían sin seguro médico 31.5% de hispanos, 22% de negros y 12.4% de blancos. En 1988 una tercera parte de las comunidades rurales, es decir casi tres mil condados norteamericanos, carecían de obstetras o pediatras. En 1991 por cada 100.000 habitantes había 225 médicos en las ciudades y sólo 97 médicos en el campo. En treinta y cinco estados las madres campesinas no tenían atención médica y en 1991 cuarenta por ciento del campesinato norteamericano carecía de seguro médico.

En primera página, el *New York Times* del 18 de agosto de 1993, denunciaba una de las razones del aumento astronómico del seguro médico. Para capturar a gentes de mala fe, se simularon en Nueva Jersey accidentes en los autobuses de transporte público. Cámaras ocultas de televisión filmaron en una redada a diecisiete personas que subieron a un autobús ficticiamente accidentado, antes de que llegara la policía. Estas personas, más otras cuatro que ni siquiera estuvieron en el lugar del accidente, llenaron los formularios del seguro, ayudados por médicos y abogados, cuervos cebados con la carroña de enfermedades y accidentes falsos. En una ocasión cámaras escondidas filmaron a una persona que subió al autobús tres minutos después del accidente gritando: "No se muevan, esperen que llegue la ambulancia. Les duele la nuca, las piernas, todo les duele. El seguro les paga. No se muevan". No es de extrañar que el seguro de cada autobús aumentara de $9.000 a $23.000 en seis años.

El *Chicago Tribune* publicó en noviembre de 1993 varios artículos sobre el abuso de los seguros médicos: Walter Wilbon se adelantó a las computadoras trabajando tiempo completo para burlarse del sistema y llegó a ganar cien mil dólares al año en remedios que revendía y en visitas innecesarias a médicos y hospitales. El 14 de marzo de 1991 hizo despachar en las farmacias remedios, jeringas, etc. por valor de $1.136,04, que después revendió. Esta persona hizo cuatroscientas veintiséis visitas a ciento once médicos diferentes, por valor de $8.517,30. El estado de Illinois investigó 431 casos de Medicaid y recuperó $18.3 millones de dólares en pagos ilícitos. El Dr. Cornelio Ang colectó ilícitamente $837.000 durante cinco años antes de ser suspendido como médico en 1992, perdido en el laberinto de los médicos que declaran ganar menos de cien mil dólares anuales para no llamar la atención a los investigadores estatales. En cinco meses una mujer de treinta y tres años hizo noventa visitas a cuarenta y cuatro médicos distintos, con un gasto de $108.89 diarios en remedios. En esta forma de los trece mil millones de dólares pagados por el seguro médico anualmente, cuatro mil trescientos millones son pagados cada año para cubrir reclamos fraudulentos, amparados por la ley... Medicaid, como cualquier sistema de seguros supone honradez en médicos y pacientes.

LONGEVIDAD Y SALUD. Tres mil años antes de Cristo el promedio de vida humana era 18 años, 26 años en el siglo tercero antes de Cristo, 49 años en 1900 y 76 años en 1990. Gracias al reemplazo hormonal, a la manipulación química y genética y a las fuerzas de la evolución, se calcula que la gente viva unos 115 años en el año 2010, 200 años en el año 2030 y 230 años el año 2200. Los archivos suecos, que guardan los datos más antiguos sobre longevidad humana, informan que a mediados del siglo diecinueve muy pocas personas llegaban a cumplir cien años. Hace unos cincuenta años, después de la Segunda Guerra Mundial, comenzó una curva ascendente de longevidad. En 1993 había en el mundo unas treinta mil personas mayores de cien años y más de tres millones de personas mayores de ochenta y cinco años. Dos millones y medio de ancianos no murieron de hambre en Estados Unidos en 1994, gracias a organizaciones religiosas, estatales y filantrópicas que los alimentaban, llevando comida a sus casas ("meals on wheels"), o atendiéndolos en comedores públicos. Sin embargo son muchos los ancianos que sobre todo en el invierno son encontrados muertos de hambre y frío en el suelo de su casa. El 10 de septiembre de 1994 el *Chicago Tribune* elogiaba a George Furgala, siempre saludable, que durante ciento nueve años sirvió a cuantos pudo y en Bucaramanga, Colombia, Benilde Torres de Morales murió a los 124 años en agosto de 1994. En Estados Unidos el promedio de vida ha subido de 49 años en 1900 a 76 años en 1990, un aumento de 55%. En el año 2000 habrá en Estados Unidos 100.000 personas mayores de 100 años, en el año 2020 habrá casi 4 millones de personas mayores de cien años y en el año 2080 habrá en el mundo entre dieciocho y setenta y dos millones de personas mayores de 100 años, situación insólita que exige un cuidadoso planeamiento a nivel mundial para atender a los ancianos del tercer milenio.

El cariño a los ancianos forma parte de la cultura hispana. Muchas veces la familia gira alrededor de abuelitos y parientes, que mueren en casa de edad muy avanzada y rara vez son internados en asilos. Por otra parte, los niños nacidos de mujeres migrantes hispanas, son más saludables que los niños blancos. Este fenómeno llamado "la paradoja epidemiológica" demuestra científicamente que los pueblos pobres tienen mejores defensas contra la enfermedad que quienes viven en abundancia. Sin embargo, las bases familiares de la segunda generación hispana se erosionan; así por ejemplo los hijos de chicanos forman un grupo de riesgo mayor, pues sus madres asimilan fácilmente las costumbres malsanas de fumar, beber y usar droga: así sus hijos están más expuestos a contraer tuberculosis, enfermedades venéreas y SIDA.[19] Los médicos y enfermeras hispanos son muy estimados por interesarse de ordinario más por las personas que por los billetes.

CONSERVACIÓN AMBIENTAL. Como Jesús no encontró hogar entre los humanos, los animales le cedieron su espacio terrenal y lo calentaron con su vaho espeso. Francisco de Asís dice que durante Navidad debemos cantar y bailar de alegría, saludar y apreciar los dones de la naturaleza, pisar con cuidado para no atropellar la vida, regar con agua nuestras flores, comer carne hasta saciarnos porque la Palabra de Dios se hizo Carne y alimentar con cariño nuestros animalitos en un canto de alegría porque la Vida ha renacido con la llegada al mundo de Jesús.[20] Navidad es también tiempo de cuidar nuestra tierra donde la "técnica" destruye una hectárea por segundo y contamina el ambiente al punto que para el año 2000 nuestro planeta estará más caliente que hace 100.000 años.

En Latinoamérica había en 1992 156 millones de personas sin agua potable, que vivían enfermos o morían víctimas de la contaminación ambiental. La gran sequía de 1984 produjo la muerte de cien mil personas en Etiopía y las inundaciones del Misisipí en 1993 privaron de agua potable durante semanas a miles de personas. Una de cada cinco personas en Estados Unidos bebe agua contaminada, donde en 1994 un millón de personas enfermaron y mil murieron por beber agua contaminada. La Ciudad de México, la mayor metrópolis del mundo con 20 millones de habitantes, ha sobrepasado muchas veces los niveles tolerables de contaminación ambiental en los últimos años. Santiago de Chile, con tres millones de habitantes y un millón de vehículos, es otro ejemplo de contaminación en el Tercer Mundo. Los residentes de Tucson, Arizona, desperdician 15% de lo que compran, un total de 9.500 de toneladas de alimentos cada año. Si todas las ciudades derrocharan en esta forma, los norteamericanos desperdiciarían una cantidad de alimento suficiente para alimentar cada año a todos los habitantes del Ecuador y del Perú. La ciudad de Los Ángeles, California, atraía en 1950 a millares de personas por su cielo azul, y sus bellas palmeras, playas y montañas. En los últimos años al bajar la escalerilla del avión los pasajeros comenzaban a toser, a sentir opresión en el pecho, ardor y lágrimas en los ojos. Durante muchos años Los Ángeles, con un cielo continuamente cobijado por algodones grises de contaminación, fue una de las metrópolis más tóxicas del mundo. Severas medidas contra la contaminación ambiental han hecho reaparecer su cielo azul y sus bellas montañas olvidadas. Para purificar el ambiente, desde 1996 un gran porcentaje de los vehículos registrados en Los Ángeles serán eléctricos. En septiembre de 1993 el cielo de Chicago apareció libre de ozono por primera vez después de diecinueve años. No todo es negativo en las megalópolis norteamericanas controladas por la maquinaria política y el poderío de la pandillas. En los Estados Unidos muchos dueños de restaurantes, conscientes del desperdicio de agua avisan a sus clientes: "¿Sabía usted que cada día se sirven 70 millones de comidas en Estados Unidos? Al no servirles agua a todos nuestros clientes se economizan siete millones de galones de agua diarios, es decir ¡dos mil millones y medio de galones al año! Este restaurante procura evitar el desperdicio de agua; por eso gustosamente le servimos agua sólo si nos la pide. Al no servirle el agua que Ud. no toma y tenemos que botar, usted y nosotros ayudamos a economizar el agua que tantos en el mundo necesitan. Gracias por su apoyo y comprensión". La epidemia de cólera causó la muerte a cuarenta mil personas en Ruanda en veinte días. El agua purificada eliminó bacterias, devolvió la vida a las víctimas de la violencia tribal de 1994 y el cólera fue controlado en dos semanas.

Las posadas, invitación a luchar por un mundo mejor

Las Posadas recuerdan la maldad que nos rodea, no precisamente en el diablo, un personaje fuera de nosotros a quien hay que destruir. Lo malo habita también dentro de nosotros y todos experimentamos esa misteriosa y continua atracción hacia el pecado que a veces parece irresistible. Sin saber por qué, como dice San Pablo, vemos lo mejor y escogemos lo peor, como si una fuerza interior nos dominara (Rom 7,19). Es posible aliviar el dolor y al decir "mi casa es tu casa" alegrar a los demás. En las Posadas pedimos que la fuerza divina del bautismo nos ayude a triunfar sobre el atractivo a la maldad que habita en nosotros y nos cierra los ojos al sufrimiento ajeno para sacar provecho personal.

En varias ciudades norteamericanas se han organizado los "Bancos de Comida": en Ambert, Massachusetts, se distribuyeron en 1993 tres millones y medio de toneladas de alimentos orgánicos, es decir exentos de pesticidas. Allí mismo una hacienda de 63 hectáreas distribuye más de 80.000 libras de alimento cada semana. En Berkeley, California, el programa "el Pan de Cada Día", recoge en restaurantes, panaderías y supermercados, ocho toneladas de alimentos por semana, para distribuirlos entre los pobres. La "operación hermandad" sirve cien comidas calientes por día en Chicago, un grano de arena perdido entre 50.000 gentes con hambre. Se temía que las tormentas de nieve en Nueva York acumularan 34 pulgadas de nieve en 1994, el doble que en 1993. Con este motivo se recogieron cinco mil abrigos usados para los pobres y los artistas donaron sus abrigos para ser vendidos entre los fanáticos. Cientos de personas sin techo invadían por la noche el aeropuerto de Chicago en 1989. Con un gasto de setecientos mil dólares, las compañías aéreas brindaron cama a todas esas gentes y en diciembre de 1991 sólo veinte personas pernoctaban en los terminales del aeropuerto. Muchos de quienes recibieron cama y comida gratuita continuaron vagando durante el día y durmiendo donde les llegaba la noche, desafiando temperaturas bajo cero.

Ejemplos admirables de adaptación, trabajo y estudio, esperanza de un mundo mejor, han dado los miles de refugiados del Sur de Asia ("exiliados en el mar" o "boat people"). Después de vivir diez años en Estados Unidos, sólo un nueve por ciento de vietnamitas y coreanos carecían de trabajo. Tres años después de llegar a Estados Unidos, 68% de los asiáticos sabían leer y escribir bien el inglés, superando diferencias radicales de lengua y escritura. Tres años después de llegar a los Estados Unidos, solamente cuatro entre cien orientales no hablaban inglés. En los concursos de ciencias, música y matemáticas, los orientales ganan casi todas las medallas.

Todos son bienvenidos en las Posadas para que Jesús nazca nuevamente en una comunidad creyente y compasiva. El grupo de hermanos en la fe reflexiona al caminar en procesión, cómo voltear la espalda hace sangrar el corazón de quien pide pan o trabajo. Cuando la comunidad canta, baila y comparte una misma mesa, cuando el cansancio de unos alegra a otros, el pueblo peregrino experimenta la belleza de tener los rasgos de la familia de Jesús. Al sentir la maldad personal y colectiva declaramos la guerra contra el egoísmo para que paz, amor y alegría florezcan en una comunidad cristiana convertida. En Navidad arrullamos al Niño-Dios, comemos el pan que da la vida eterna y al compartir alegres nuestra cena navideña, llevamos comidas y sonrisas a quienes alimentan su estómago con lágrimas amargas. El dueño del mundo no encontró Posada entre los suyos en Belén y Jesús promete el cielo a quienes dieron pan al hambriento, agua al sediento, visitaron a los presos o cuidaron a los enfermos. Jesús, el rostro humano de Dios, vivió como cualquiera de nosotros y aceptó voluntariamente la opresión y la injusticia. Aliviar el dolor ajeno es acompañar a Jesús que derramó su sangre por la humanidad doliente.

"Jesús vino a los suyos que no lo recibieron" (Jn 1,11). Olvidar la necesidad ajena es rechazar a Dios nuevamente, como lo hicieron los habitantes de Belén. Durante nueve noches antes de Navidad, las Posadas representan en vivo los pastorcitos, la mula y el buey y también dramatizan la insensibilidad ante el dolor ajeno. Jesús, María y José eran forasteros en Belén; como la Sagrada Familia venimos de otras tierras y en una u otra forma todos somos extranjeros, pues no tenemos en esta tierra un hogar permanente, sino que caminamos en busca de la Posada Eterna, (Heb 13,14) la casa de nuestro Padre Dios. Compadeciéndonos y aliviando el sufrimiento humano, construimos un mundo mejor. Caminando en las Posadas navideñas, niños y ancianos experimentamos el amor, aprendemos a aceptarnos mutuamente y escuchamos de labios de Jesús palabras salvadoras: **"Vengan benditos de mi padre, porque tuve hambre y me dieron de comer, fui extranjero, estaba desnudo, preso, triste y ustedes me ayudaron, me abrieron sus puertas, me hospedaron"** (Mt 25,35).

"Son felices quienes poseen el espíritu del pobre, porque de ellos es el Reino de los cielos" (Mt 5,3). Quienes tienen espíritu de pobre reconocen la necesidad de Dios en su vida, viven totalmente dependientes, como colgados del Señor, el único que no los abandona e imitan a Dios ayudando a los demás. Por eso —unidos a Dios— poseen ya el Reino de los cielos. Quienes hayan alcanzado seguridad económica, comparten con quienes sufran la pesadilla de la que ya ellos despertaron. En las Posadas, nuestra fe es nuevamente iluminada por la estrella de Belén, para que ayudándonos unos a otros, compartamos nuestro espacio y caminemos en busca de la casa de nuestro Padre Dios.

Hace dos mil años, sin conocer la Biblia, los Magos emprendieron un largo viaje en busca del Dios verdadero de Israel. Entre los cinco mil millones y medio de habitantes de la tierra, ochocientos ochenta y cuatro millones y medio no pertenecen hoy a ninguna religión y doscientos treinta y siete millones se declaran ateos.[21] Los villancicos, la reflexión en el misterio de un Dios nacido en un portal, el rosario y la procesión con María y José, los pastores y los pobres, hacen renacer en la comunidad —entre villancicos y panderetas— la alegría, la esperanza y la fe anunciadas por los ángeles.

En nuestras manos está que después de dos mil años, vuelva a brillar la estrella de Belén sobre los pobres, drogadictos, presos y marginados, para que todos sintamos la caricia del amor de Dios.

IV

CÓMO CELEBRAR LAS POSADAS DE NAVIDAD

Las Posadas, costumbres transmitidas cuidadosamente de padres a hijos en las familias mexicanas, nos recuerdan que Dios entró silenciosamente a este mundo, ofrecido en una canoa donde comen los animales, en cuerpo y sangre alimento para la salvación del mundo.

Las familias cristianas se preparan alegremente con fe y oración para que Jesús nazca nuevamente en quienes sufren con los que lloran y comparten lo que tienen con los necesitados. Al recordar a la Sagrada Familia sin Posada, brota el anhelo de mejorar la desigualdad y discriminación actuales ayudando a gentes sin techo. Navidad significa alegría por el nacimiento del hombre más grande que haya existido, Jesús, Hijo de Dios y de María. Creer en Jesús hoy significa abrir los ojos a la desigualdad y discriminación actuales y estremecerse con el hambre de millones de hermanos nuestros para quienes la vida es una larga y fría Navidad, sin techo que los cobije. Quien cree en Jesús no vive en paz hasta que al menos unas cuantas personas satisfagan sus necesidades básicas.

El nacimiento de Jesús nos hace más hermanos; por eso celebramos su cumpleaños haciéndonos regalos, bella costumbre a veces esclavizante en un vértigo pagano. Oleadas de gentes desafiando temperaturas bajo cero por las calles, se consumen en una pérdida de tiempo y dinero comprando y cambiando regalos. Ellos olvidan por completo que la Navidad celebra el CUMPLEAÑOS DE JESÚS, EL HIJO DE DIOS, EL GRAN REGALO DIVINO A LA HUMANIDAD. El nacimiento de Jesús pierde su sentido religioso con rebajas en artículos inútiles ofrecidos por Santa Claus para que nuevos amigos traigan más regalos, olvidando la necesidad ajena.

A continuación se explica cómo celebrar las Posadas, esperando que muchas comunidades continúen nuestras tradiciones populares religiosas. Al final del libro aparecen los villancicos y cantos con que se pide y se niega Posada, cuya deliciosa melodía y trasparente sencillez nos trasladan a la escena de José y María hace dos mil años, pidiendo Posada de puerta en puerta por las calles de Belén. Durante nueve noches antes de Navidad, o durante los viernes de diciembre, familias señaladas de antemano esperan en sus hogares al grupo de los "Santos Peregrinos". En tres caminatas cada noche la comunidad reza, canta y visita tres casas acompañando al **Misterio**: María montada en un burrito guiado por San José. El vecindario disfrazado en la procesión encarna la devoción popular y el folclore indígena: Bartolo el perezoso; el Ermitaño un viejo pícaro. Fuera de la Virgen sólo aparece una mujer, La Gila, pero no hay ninguna razón para impedir que las mujeres se disfracen en la procesión animada con ángeles, obreros, Reyes Magos, soldados, corderos, etc. Las tentaciones representadas por tres diablos, son objeto de burlas y graciosos insultos de la gente.

Los disfrazados más importantes son los pastores, rancheros y campesinos, representantes de los pobres, preferidos de Dios. Los pastores, despreciados en tiempo de Jesús como ladrones y bandidos de baja clase, fueron precisamente los primeros en recibir la GRAN NOTICIA del nacimiento del Mesías. Los corderos formaban parte de las familias del desierto y complementan la historia de nuestra salvación. El cordero daba leche, carne, lana y también compañía, pues ovejas y pastores dormían bajo un mismo techo. Abraham padre de los creyentes, en vez de matar a su hijo Isaac, sacrificó un cordero, costumbre repetida durante diecinueve siglos por los israelitas antes de Jesús. Los hebreos sacrificaban a Yavé sus mejores corderos, pero la sangre del cordero simbolizaba perdón sin perdonar. Siglos después de Abraham, Dios nombró Rey de Israel al niño David mientras pastoreaba sus ovejas. Al llegar la plenitud del tiempo, Jesús, descendiente de David, vino a traer al mundo el Reino de su Padre celestial. Jesús, el Cordero de Dios que quita el pecado del mundo y también el buen Pastor que derrama su sangre por las ovejas, continúa sacrificándose por nosotros en la Eucaristía a través del tiempo y el espacio. Jesús, Mesías y Rey-Pastor, reina sin el lujo ni la corrupción de este mundo, porque su Reino es eterno y universal, de verdad y de vida, de santidad y de gracia, de justicia de amor y de paz.

Las reflexiones que presentamos en este libro, pretenden orientar a los animadores del grupo para organizar cada noche las Posadas cuando falte el sacerdote. Unas pocas ideas bastan para estimular la oración compartida según las circunstancias de las distintas comunidades. El animador de estas reflexiones —después de haberse familiarizado completamente con la noche que le corresponde dirigir— invita a la comunidad a participar BREVEMENTE en sus comentarios, oraciones etc., procurando cortar suave e inteligentemente a los que hablen demasiado. Estos momentos preciosos bien dirigidos, pueden avivar una experiencia religiosa de fe profunda y duradera. En estas noches es fácil perderse en manifestaciones superficiales y rebajarse a chistes, risas y conversaciones sobre modas y disfraces. El animador debe invitar varias veces al grupo cada noche al espíritu de oración y respeto que debe animar toda la ceremonia, para que Jesús vuelva a nacer y escoja su Posada en el corazón de la comunidad.

Al final de las fiestas navideñas mexicanas, una persona es elegida para el año siguiente y en octubre se comienzan a preparar las Posadas y "pastorelas", grupos de pastores que representan las narraciones evangélicas sobre el nacimiento de Jesús. Los actores de las "pastorelas" eran únicamente hombres, que como en tiempo de Shakespeare se disfrazaban de mujeres para los papeles femeninos. Es mucho más apropiado que hombres y mujeres se disfracen, canten y participen en estas auténticas manifestaciones de religiosidad popular que hacen palpitar compasivo el corazón de las personas de buena voluntad.

La celebración de las Posadas exige una cuidadosa preparación

Es indispensable que la comunidad elija una persona con talento organizador que coordine las nueve noches de las Posadas. Esta persona, un laico, no el sacerdote, debe:

1. Conseguir un equipo de sonido móvil, velas para la procesión y copias de las letanías y villancicos para todos los asistentes.

2. Trazar la ruta por donde la comunidad acompaña a la Sagrada Familia a visitar tres familias distintas cada noche.

3. Buscar quienes hagan los disfraces de la Sagrada Familia, de los pastores, etc. y quienes arreglen por lo menos un altar cada noche en la tercera y última casa que recibe a los peregrinos.

4. Elegir quien dirija la procesión, el rosario y los cantos, indicando por micrófono breve y claramente los detalles para que todos participen.

5. Preparar uno o varios animadores de grupo que inviten a la comunidad a compartir su fe cada noche a la luz del Evangelio. Compartir sencillamente penas y alegrías, temores y esperanzas, atrae mucha gente a las Posadas. Con esto pueden nacer y renovarse las Comunidades de Base.

6. Reunirse a ensayar en el micrófono muchas veces con el coro, los lectores, comentaristas, animadores de grupo etc., para que TODOS canten, vean, oigan, entiendan fácilmente y PARTICIPEN AL MÁXIMO.

7. Ensayar los cantos con anterioridad y dividir el coro en dos: el primer coro canta con la procesión y el segundo coro debe conocer el lugar de las tres casas donde debe adelantarse a esperar para contestar cantando desde adentro a la petición de Posada. La noche puede dividirse así:

A) Reunión del grupo. Dar instrucciones, repartir las hojas y ensayan los cantos.

B) Comienzo de la procesión o caminatas rezando el rosario y cantando letanías. Visita de las dos primeras Posadas que permanecen con las puertas cerradas.

C) Visita a la tercera casa, la Posada, que abre sus puertas. Celebración dentro de la Posada.

Reunión del grupo, instrucciones y ensayo de cantos

Reunida la comunidad en la Iglesia o en otro sitio claramente indicado de antemano, la persona que coordina comienza cada noche dando instrucciones muy claras sobre la ruta de la procesión, repartiendo las hojas de cantos, invitando al recogimiento y espíritu de oración durante las caminatas y ensayando los cantos. Es oportuno señalar algunas personas que refuercen los grupos para que todos participen en el rosario, letanías, cantos y en la reflexión compartida.

Caminatas, rosario, letanías y villancicos

<u>Primera Caminata</u>. Terminadas las instrucciones comienza la procesión o "caminata" rezando el rosario. La participación aumenta cuando los de

la izquierda dicen **Padre nuestro...** y **Ave María...** y los de la derecha contestan **El pan nuestro....** y **Santa María**, alternando también las letanías.

Terminado el rosario se cantan las letanías de la Virgen y los villancicos cuya letra que aparece al final de este libro, debe haberse repartido antes de comenzar las caminatas. La procesión visita las tres casas, buscando Posada hasta encontrarla. Al terminar cada decena del rosario, se puede cantar:

"Humildes peregrinos, Jesús, María y José,
hoy les damos POSADA y el corazón también"

Niños y grandes van cantando con velas o faroles encendidos, símbolo de la fe que ilumina los momentos oscuros de la vida. Al llegar a la primera casa, José golpea fuertemente en la puerta y el primer coro pide Posada para José y María cantando desde afuera: **En nombre del cielo les pido Posada...** El segundo coro responde negando Posada cantando desde adentro: **Aquí no es mesón...** El santo matrimonio es rechazado, las puertas de la primera casa permanecen cerradas y la caminata continúa cantando en busca de Posada.

Segunda Caminata. Rezando el rosario o cantando letanías y villancicos, continúa todo el grupo a la segunda casa, donde de nuevo se repite cantando el diálogo de los coros, afuera pidiendo y adentro de la casa negando la POSADA. Los Santos Peregrinos son rechazados por segunda vez y las puertas de la segunda casa permanecen cerradas. Todos se dirigen entonces a la última Posada, dentro de la cual el segundo coro debe estar esperando.

Tercera Caminata. Cantando letanías y villancicos, al llegar a la tercera casa nuevamente se pide Posada como antes. El coro que viene cantando con la procesión entona desde **afuera** la petición de hospedaje: **En nombre del cielo...** El coro de ADENTRO ahora responde: **Entren Santos peregrinos...** y **Humildes peregrinos, Jesús, María y José, hoy les damos POSADA y el corazón también.** Entonces se abren las puertas de la Posada y José y María entran en procesión acompañados por la comunidad. Se cantan villancicos y coplas alabando la generosidad de la familia que ha abierto las puertas de su Posada, como en otro tiempo lo hubieran hecho con José y María en Belén. Recibidos finalmente, los santos peregrinos han encontrado donde pasar la noche.

Celebración dentro de la Posada.

La comunidad continúa cantando dentro de la Posada mientras se colocan en sitio visible las personas o estatuas que representan a María, José, los pastores etc. La persona asignada —no tiene que ser el sacerdote— lee con voz fuerte, despacio y con mucho sentimiento, el Evangelio, los comentarios y oraciones para cada noche, y un cantor dirige los cantos. En la reflexión el grupo comparte sus lágrimas y pone en común sus inquietudes sobre cómo pueden ayudarse mutuamente y servir a los pobres, a los ancianos, a los indocumentados, a los inmigrantes dentro de la comunidad y fuera de ella. Este compartir de corazón es una inyección espiritual de fortaleza para continuar en el oscuro camino de la fe.

Antes de terminar la reflexión es importante concretar: ¿Cuáles son nuestros sufrimientos y necesidades familiares y comunitarias y cómo abrimos nuestra Posada para que Jesús nazca nuevamente entre nosotros, al ayudarnos mutuamente y servir al necesitado, aunque sea desconocido, enemigo o criminal, sin excluir a nadie?

Después de la bendición final, se comparten las comidas y bebidas típicas, comienza el baile y los juegos de estas noches de fiesta iluminadas por la fe y se rompe la piñata. La familia de la tercera casa —la Posada— ha preparado la fiesta para esa noche: comida, pólvora, juegos, regalos y bebidas calientes (café, té, sidra, chocolate) para todos los que han venido caminando en el frío, orando y reflexionando juntos sobre lo que significa HOY el nacimiento de Jesús en su vida. Un signo de esperanza nace en la comunidad con la alegría de ser compañero: CON-PAN-ERO el que COME PAN EN COMPAÑÍA y comparte lo que tiene. Los ojos de los que tienen y de los que no tienen brillan de alegría al comer, beber, compartir regalos y sentirse acogidos con cariño a la luz de la estrella que anuncia el nacimiento de Jesús.

Es típica la piñata, colgada para ser destruida como Jesús en la cruz. La corteza salvaje y dulzura interior de la piña brindó a los misioneros un símbolo ambivalente del bien y del mal como el árbol del paraíso. La piña se transformó en horribles muñecos representación de Satanás y del egoísmo e indiferencia ante el dolor ajeno, destruidos simbólicamente al romper la piñata. El Niño-Dios, como la piñata destruido en la cruz, venció a Satanás resucitando a su vida con Dios. La piñata rellena de sorpresas, esconde premios para quienes han vencido el mal. De la **piñata** rota por los asistentes, llueven frutas, dulces y juguetes, dulzura y alegría del triunfo de Jesús, resucitado y vencedor en nosotros sobre la muerte y el pecado.

Romper la piñata es diversión para grandes y pequeños. El niño que rompe la piñata con los ojos vendados y una escoba en la mano, representa la inocencia del niño Jesús que aleja la maldad. El niño, guiado por los mayores que le hacen dar tres vueltas para marearlo, tiene tres oportunidades para romper la piñata y la fiesta se alarga mientras los mayores mueven la piñata de un lado a otro. Rota la piñata estallan todos en gritos de alegría por haber vencido unidos al demonio y alegremente recogen los premios esparcidos por el suelo. Romper la piñata puede convertirse en PARRANDA y RAPIÑA donde los más fuertes se apoderan de todo sin compartir, desperdiciando una preciosa oportunidad para enseñar el interés por los más débiles. Es el momento de suspender el juego para que los más débiles reciban lo mejor y como hermanos de Jesús todos compartan dulces y juguetes con los que nada han recibido. Con el nacimiento de Jesús corazones débiles y fuertes palpitan con sentimientos de alegría y compasión con los marginados, los sin trabajo ni hogar, ni voz, con los que sufren, como la Sagrada Familia al buscar Posada por Belén. Un nuevo grupo de amigos —todos se sienten aceptados—, disfruta la dulzura de una comunidad abierta y sin prejuicios, que con amor comparte alegremente cuanto tiene. Con baile, cantos, risas, alegría y amor, compartiendo como hermanos, grandes y pequeños se interesan por que todos reciban algo y que nadie salga de la Posada con las manos vacías. Así termina cada noche la Posada.

El Niño Jesús nos trae La GRAN NOTICIA: TODOS SOMOS HIJOS DEL MISMO DIOS, que hace llover y salir el sol sobre buenos y malos. Quien hace algo por sus semejantes, amigos y enemigos, abriendo puertas de par en par a pobres, criminales, de otra raza, religión o costumbres, demuestra que ama como Dios. Quienes vivan en la tierra el amor de las Posadas, tendrán los rasgos de la familia de Jesús. Llamarán a la puerta, serán reconocidos, y abriéndoles las puertas Jesús mismo les dirá: **Porque tuve hambre y me dieron de comer, estuve desnudo y me vistieron, vengan a disfrutar de las Posadas eternas en la casa del Padre Celestial** (Mt 25,34).

LECTURAS, REFLEXIONES Y ORACIÓN PARA CADA NOCHE

Al comenzar y terminar cada noche, cuando todos estén en silencio, una persona, despacio y con mucho sentimiento, invita a la oración: Recordemos que estamos delante de Dios, preparándonos a su venida. Pongámonos la mano en la frente y demos gracias al Padre por habernos regalado a su Hijo Jesús. Pidámosle que lo haga nacer nuevamente en nuestros corazones, llenándonos de amor y paz en nuestra comunidad y en nuestro mundo.

Ahora pongamos la mano sobre el pecho y pidamos a Jesús que nos dé un corazón como el suyo, lleno de amor y de perdón. Que nos enseñe a amar al pobre, al desamparado, al pecador y que como nació en el seno de María, nazca hoy de nuevo en nuestros corazones.

Ahora pongamos la mano en el hombro izquierdo y demos gracias al Espíritu Santo por haber descendido en María para darnos a Jesús. Que nos llene de sus dones de fe, sabiduría, fortaleza y paz. Que perdone los pecados del pasado y nos conceda la alegría de vivir.

Con la mano en el hombro derecho pidamos al Padre, al Hijo y al Espíritu Santo que bendigan nuestro pasado, nuestra vida que comienza cada momento y nuestro futuro. Ahora, despacio y con toda devoción dediquemos a la Santísima Trinidad este momento diciendo todos a una: **En el nombre del Padre y del Hijo y del Espíritu Santo. Amén.**

VILLANCICO POPULAR COLOMBIANO

Estribillo que debe cantarse después de leer cada estrofa:
R/   ¡Dulce Jesús mío, mi Niño adorado
        Ven a nuestras almas, ven no tardes tanto.

Oh Sapiencia suma del Dios Soberano,
Que al nivel de un niño te hallas rebajado
Oh divino infante, ven para enseñarnos
la prudencia que hace verdaderos sabios R/

Oh raíz sagrada de José que en lo alto
presentas al orbe tu fragante nardo R/

Dulcísimo Niño que has sido llamado
Lirio de los valles, bella flor del campo R/

Oh lumbre de oriente, Sol de eternos rayos
que entre las tinieblas, tu esplendor veamos
Niño tan precioso dicha del cristiano
Luzca la sonrisa de tus dulces labios R/

Rey de las naciones, Emmanuel preclaro,
de Israel anhelo, Pastor del Rebaño R/

Niño que apacientas con suave cayado
ya la oveja arisca, ya el cordero manso R/

Ábranse los cielos y llueva de lo alto
bienhechor rocío como riego santo
Ven hermoso Niño, Ven Dios humanado
Luce hermosa estrella, brota flor del campo R/

Ven que ya María previene sus brazos
Do su Niño vean en tiempo cercano
Ven que ya José con anhelo sacro
se dispone a hacerse de tu amor sagrario **R/**

Del débil auxilio, del doliente amparo,
consuelo del triste, luz del desterrado
Vida de mi vida, mi dueño adorado
mi constante amigo, mi divino hermano **R/**

Véante mis ojos de ti enamorados
Bese ya tus plantas, bese ya tus manos
Prosternado en tierra te tiendo los brazos
y aún más que mis frases te dice mi llanto **R/**

¡Ven Salvador nuestro, por Quien suspiramos;

¡VEN A NUESTRAS ALMAS, VEN NO TARDES TANTO!

Primera Posada
Diciembre 16

Pobres, marginados y pecadores,
son los primeros en escuchar y compartir
la GRAN NOTICIA del nacimiento de Jesús

EVANGELIO: "Los pastores que cuidaban sus rebaños en el campo, escucharon la voz de un ángel que les dijo: 'Vengo a comunicarles una GRAN NOTICIA, que alegrará a todo el mundo. Hoy les ha nacido un Salvador, Cristo el Señor. En esto lo conocerán: encontrarán un niño recién nacido envuelto en pañales y acostado en una cueva de animales'. En ese momento aparecieron otros ángeles cantando 'Gloria a Dios en el cielo, y paz en la tierra a las personas de buena voluntad'. Los pastores salieron corriendo hasta encontrar a María, a José y al niño recién nacido, acostado en la canoa donde comen los animales. Después, con gran alegría contaron a todos, lo que habían visto y oído".

(Evangelio de San Lucas 2,8-17)

REFLEXIONES PARA COMPARTIR EN GRUPO

Hace dos mil años, los primeros en escuchar la noticia del nacimiento del Niño-Dios fueron los pobres. Con la presencia de los ángeles y la cercanía de Dios se asustaron como Adán entre los árboles, como Moisés, como María. Cuando vieron al niño entre pajas, su miedo se volvió alegría. Hoy la prensa y la televisión en lugar de anunciar que Jesús es la ternura, consuelo y alegría de Dios con pobres y afligidos, presentan a Santa Claus posando para fotografías, con regalos inútiles. En muchas familias se ven regalos de años anteriores todavía sin abrir. Tantas gentes sin Dios que no saben por qué hay alegría durante Navidad, gentes que en Nochebuena regresan a su casa llenas de tristeza y soledad. Tantas personas que podrían cambiar su depresión en alegría si compartieran con los necesitados y llevaran regalos a las familias pobres.

Dios entra al mundo sencillamente, como un niño. Los primeros en recibir la GRAN NOTICIA del Dios-Hombre son los pecadores, los pobres, la gente sencilla y también los ricos con corazón de pobre como los reyes magos, generosos y desprendidos de sus riquezas.

¿Tengo yo espíritu de pobre, que nada exige, desprendido de lo que tengo para que nazca en mi corazón el Rey del Cielo? ¿O soy pobre con corazón de rico, egoísta y exigente? Si tengo espíritu de pobre tendré los rasgos de la familia de Jesús. ¿Pido a Jesús que me dé un corazón como el suyo y me enseñe a compartir lo que tengo? El quiere entrar en mi corazón, en mi familia, en mi comunidad y para que el entre tengo que salir de los que me sobra. ¿Sé reír y llorar con los demás y agradezco a las personas cuyas sonrisas me trajeron alegría?

(A LOS NIÑOS: ¿Te han dicho cómo tu hogar se llenó de alegría cuando naciste?)

¿Cómo será el Dios de Jesús si para entrar en su Reino hay que tener un corazón de pobre? ¿Cómo será este Dios si para amarlo hay que amar y respetar a la mujer y al hombre? ¿Cómo será nuestro Dios a quien maltrato cuando falto al respeto a los demás?

Como los pastores, yo también he de llevar a otros la GRAN NOTICIA de un Dios que nace como nosotros para enseñarnos el amor. Muchos enfermos, ancianos, niños viven tristes y solos. ¿A quién vas hoy a animar, ayudar, dar alegría, con una llamada por teléfono, una visita, un regalo, una sonrisa?

¿Haz compartido con los demás tu alegría por el nacimiento de Jesús, algo así como se alegra una familia cuando nace un hermanito? ¿Quién es Jesús para ti y para tu familia?

A veces es más fácil dar que recibir, pues al dar te sientes superior. ¿Piensas que al recibir demuestras que algo te falta, que en algo eres inferior y dependiente de los otros?

En tus necesidades y en tus fallas, ¿eres sencillo y valiente, pides perdón y ayuda? ¿Te interesa tanto conseguir dinero que olvidas las necesidades ajenas?

¿Pierdes el tiempo viendo televisión y terminas haciendo tuyos los falsos valores que ves en la pantalla? ¿Te preocupas por estar a la última moda en ropa, automóvil, diversiones etc., o enseñas con palabras y ejemplos a tus hijos que la riqueza y alegría verdaderas crecen en la familia unida que comparte lo que tiene y sirve a los demás?

Compartamos lo que tenemos unos con otros en medio de la paz, alegría, amor y sencillez de estas "Noches Buenas" y veamos en qué forma podemos dar ayuda y recibirla.

ORACIÓN DE LA COMUNIDAD

CONTESTAN TODOS: R/ VEN, SEÑOR JESÚS

Que sintamos esta noche y siempre la alegría que Jesús vino a traer al mundo. **R/**

Por todos los que han traído alegría a cada uno de nosotros, a nuestras familias, a nuestra comunidad **R/**

Por los que llevan hoy la GRAN NOTICIA a quienes no conocen al Dios-Niño. **R/**

Por los que en Navidad sacan a Jesús de sus fiestas **R/**

Que las familias muertas a la comunicación y al cariño, abran su corazón al servicio y al amor **R/**

Hermanos, Dios ha nacido, en un pesebre Aleluya **R/**

CONTESTAN TODOS: R/ HERMANOS, CANTEN CONMIGO, GLORIA A DIOS EN LAS ALTURAS!

Desde el cielo han descendido los ángeles a la cuna. Mueran hoy todos los odios y renazcan las ternuras. **R/**

El corazón más perdido, ya sabe que alguien lo busca.

El cielo ya está en el suelo, la tierra ya no está a oscuras. **R/**[22]

BENDICIÓN FINAL

Que la luz de Dios nos llene de alegría como a los pastores de Belén
y que el Hijo de Dios hecho pobre para darnos su riqueza,
nos ayude a tener un corazón como Jesús sin apego a las riquezas, un
corazón de pobre, que comparta generoso como los Reyes Magos.
Y que la bendición de Dios Padre, Hijo y Espíritu Santo
permanezca siempre con nosotros. Amén.

Segunda Posada
(Diciembre 17)

María, Modelo de Mujer, Esposa y Madre

EVANGELIO: "El ángel Gabriel fue enviado por Dios donde una virgen llamada María, comprometida a casarse con José de la familia de David, que vivía en Nazaret. El ángel la saludó diciéndole: 'Alégrate, llena de gracia, el Señor está contigo'. Estas palabras asustaron muchísimo a María quien no podía entender por qué el ángel la saludaba en esta forma. El ángel le dijo 'No temas, María, porque has sido especialmente escogida por Dios. Vas a dar a luz a un hijo a quien llamarás Jesús. Será grande y lo llamarán Hijo del Altísimo. Dios le dará el trono de David, su antepasado, gobernará por siempre al pueblo de Jacob y su Reino no terminará jamás'. María entonces dijo al ángel: ¿Cómo podré ser madre si no tengo relación con ningún hombre?' Contestó el ángel: 'El Espíritu Santo descenderá sobre ti y el Poder del Altísimo te cubrirá con su sombra; por eso tu hijo será Santo y con razón lo llamarán Hijo de Dios'. Entonces contestó María: 'Yo soy la servidora del Señor; hágase en mí según lo has dicho'".

(Evangelio de San Lucas 1,26-39)

REFLEXIONES PARA COMPARTIR EN GRUPO

Hace dos mil años un seno virginal fue la primera Posada donde la vida divina comenzó a crecer desconocida en nuestra tierra y Dios por fin se hizo uno de nosotros. Cuando María, la Virgen nazaretana no pertenecía a nadie, estaba abierta a Dios y soñaba que un día sus hijos engrandecerían a Israel, la visita inesperada del ángel y la cercanía de Dios la paralizaron de miedo. Nada sucede en la humanidad sin nuestra cooperación y si María hubiera dicho NO, Dios no hubiera bajado del cielo para nacer entre nosotros. Aunque no entendió completamente las palabras del ángel, María dijo SÍ, y el Espíritu de Dios que ordenó el caos al comienzo de la creación y cubrió el arca de la alianza, cobijó a la Virgen con su sombra. Ella se abrió al amor, la vida divina encontró Posada en su corazón y en su seno virginal abierto a Dios se encarnó la salvación del mundo. Al arrullar a su Dios inmóvil entre pañales, incapaz de levantar su cabecita, María enseñó a la humanidad a no temer a Dios. En Navidad Dios nos demuestra su ternura y en Jesús, la luz del mundo queda encendida para siempre en los hogares y los árboles como estrellas brillan en la ciudad. Jesús, ilumina los ojos de nuestro corazón para descubrir al Dios que continúa sin hogar en cien millones de personas sin Posada hoy en el mundo.

Jesús nació en Palestina, un rincón del mundo ocupado y oprimido por los romanos, en una aldea perdida en las montañas. María dijo SÍ y el cielo bajó a la tierra en la Encarnación, el misterio de un Dios que se humilla ocupando el lugar más bajo. Dios no pudo dar nada mejor que a sí mismo y los pobres de corazón sencillo, se dieron cuenta del encuentro del hombre que buscaba a Dios y de Dios que buscaba al hombre. Todos podemos imitar a María en su virginidad, estando desprendidos y abiertos a Dios y a los demás. Cada vez que el hambriento comparte sus mendrugos y el sediento su agua, Dios nace en nosotros y como María, a través de nosotros, Jesús consuela a la humanidad que sufre.

Pensemos en las madres que darán a luz esta noche… ¿cuál será el futuro de sus hijos? Veamos a las madres que mataron a sus criaturas antes de nacer. En 1982 se "legalizaron" en Estados Unidos casi dos millones de abortos, cuatro por cada diez nacimientos. En China hay trece millones de abortos anuales y en las salas de parto hay vasijas con agua para ahogar a las niñas al nacer. Muchos niños recién nacidos son abandonados por sus madres, muchos hijos rechazados por su familia, pero también hay matrimonios fieles, consagrados a sus hijos enfermos, que adoptan hijos retrasados, rebeldes, en drogas y pandillas.

Jesús, la presencia de Dios misma, vivió bajo el mismo techo con María que con frecuencia estaría confundida, sin entender lo que pasaba. Tampoco nosotros comprendemos muchas veces qué sentido tiene nuestra vida y como María en la oscuridad de la fe, seguimos fieles a Dios. ¿Imitarás a María como madre llena de fe, paciente, dulce, alegre y creadora? Tú, madre ¿amas a tus hijos desde antes de nacer, cuidas de tu esposo y de tu familia? ¿Tu hogar, como el de Nazaret, está lleno de paz, limpio y acogedor, das ejemplo de trabajo, estudio y amor a Dios y a los demás? Hay madres hispanas que se superan con sacrificio: hablan perfecto inglés, se gradúan en la universidad, y son un ejemplo en su hogar y en su comunidad.

María, esposa fiel, trabajaba diariamente en la soledad de su casa. Por la tarde esperaba con ilusión que su familia regresara a disfrutar de una casa bien arreglada y de una comida preparada con cariño. Sometida a la opresión romana, María pedía a Dios por un mundo de libertad y paz.

Tú, madre ¿recuerdas que la presencia de Dios y la alegría en el hogar dependen en gran parte de ti? ¿Das buen ejemplo a tus hijos, te superas, estudias, aprendes, organizas? ¿Coqueteas con amistades malsanas que amenazan tu hogar y tu felicidad matrimonial? ¿Tratas con amor y respeto a tu esposo, escuchas, te haces escuchar y corriges a tus hijos? ¿Colaboras con tu esposo con tu parroquia, con tu comunidad, con la escuela de tus hijos?

Y tú, hijo o hija ¿tratas a tu madre con cariño y respeto y le agradeces lo que hace por la familia? Tú, joven que despiertas a la vida ¿respetas y haces respetar tu cuerpo, templo donde vive Dios? ¿Imitas a la Virgen María arrancando lo que te impida abrirte a Dios?

¿QUÉ HAREMOS las jovencitas cuando seamos madres para ser el centro del hogar e influir en la comunidad?

ORACIÓN DE LA COMUNIDAD

Como hijos cariñosos felicitemos a María contestando a las peticiones:

DIOS TE SALVE MARÍA, LLENA ERES DE GRACIA, EL SEÑOR ESTÁ CONTIGO.

Madre y Señora nuestra, enséñanos a abrir el corazón a Dios y a los demás; esta noche oramos especialmente por las madres, las esposas, las niñas y las jóvenes de nuestra comunidad. **R/**

Virgen pura y madre ejemplar, en este mundo sediento de placer queremos amar y respetar la vida y como María desprendernos de lo que impida a Dios entrar en nuestro corazón. **R/**

María, a quien obedeció el mismo Hijo de Dios, enséñanos a comprender y corregir con amor a nuestros hijos y prepararlos para el siglo veintiuno. **R/**

ORACIÓN FINAL

Señora y madre nuestra, primera Posada de Dios en el mundo, gracias a ti entró en nuestro mundo la vida divina en la persona de tu hijo Jesús. Que no nos alejemos de Dios por temor sino arrullemos al Niño-Dios en nuestro corazón; que nuestros familias sean Posadas de amor, diálogo y oración. Que nos aceptemos y amemos como somos. Que nuestros hogares sean limpios, ordenados, alegres y cariñosos como el hogar de Nazaret. Jesús, hecho uno de nosotros por María, haz que abramos nuestras Posadas a todos con amor. Y que la bendición del Padre, del Hijo y del Espíritu Santo venga sobre nosotros y sobre toda las familias de la tierra. Amén.

Tercera Posada
Diciembre 18

Todos somos hermanos de Jesús
e hijos del Padre celestial

Lectura de la carta de San Pablo a los habitantes de Filipo. "Así que, si Cristo significa algo para ustedes, si su amor los anima y consuela, si el Espíritu está con ustedes, si saben lo que es cariño y compasión, llénense de alegría viviendo en armonía, unidos en el mismo amor, el mismo espíritu y los mismos ideales. No hagan nada con orgullo, para aparecer mejores, sino con humildad. No busquen únicamente su propio bien, sino el bien de los otros. Piensen como Cristo Jesús, quien siendo de condición divina, dejó de ser igual a Dios y tomó la condición de servidor. Él se hizo como uno de nosotros, se humilló y obedeció hasta la muerte en una cruz. Por eso, Dios lo engrandeció y le dio un nombre sobre todo nombre, para que ante el nombre de Jesús todos se arrodillen en los cielos, en la tierra y debajo de la tierra. Porque JESÚS es EL SEÑOR, para gloria de Dios Padre".

(Carta de San Pablo a los habitantes de Filipo 2,1-12)

REFLEXIONES PARA COMPARTIR EN GRUPO

Veintitrés mil personas asesinadas en Estados Unidos en 1993, hicieron derramar muchas lágrimas a padres, hijos, esposas y amigos. En el hogar debemos enseñar a olvidar las ofensas y a vivir el Padre nuestro, perdonando para que también Dios nos perdone. Sólo así seremos como Jesús, hijos de nuestro Padre Dios que nos ama y perdona sin condiciones. Si cada hogar da ejemplo de amor, perdón y comprensión, poco a poco desaparecerá la violencia en las ciudades y viviremos alegres como hermanos de Jesús.

¿Corriges a tus hijos cuando pelean, son desobedientes y caprichosos? ¿Les enseñas a compartir sus juguetes e interesarse por ancianos y enfermos, por los niños abandonados, retrasados, huérfanos y pobres? ¿Qué haces contra la violencia en tu vecindario? Por falta de cariño en el hogar, muchos jóvenes han muerto víctimas de odios pandilleros. ¿Pegas cobardemente a tus hijitos puesto que son débiles y no pueden defenderse? La paz mundial no se logra con más cárceles y policías. Habrá paz en nuestras calles si hay paz en el hogar. ¿Qué vas a hacer para que desde esta Navidad en adelante haya paz y amor en tu familia?

¿Piensas que eres mejor que otros, niegas tus errores y manipulas a los demás? ¿Lo quieres todo para ti, buscas tu comodidad y tu placer, mientes y usas a los demás para subir, ganar dinero y ser estimado? ¿Te preocupas por los demás, encuentras tiempo para ayudar y servir a quienes no te caen bien?

¿Eres esclavo del alcohol, la droga, las malas costumbres? Así amargas tu vida, haces llorar a tu familia y no respetas a tu comunidad. ¿Alegras la comunidad compartiendo con ellos lo que tienes o sabes?

Jesús, a pesar de ser Hijo de Dios, no se creyó mejor que nadie y vino a servir, no a ser servido; sus mismos parientes no creyeron en Él... Jesús sintió el rechazo de los grandes y el amor de los sencillos, acarició a los niños, no se inclinó ante los caprichos de los poderosos y perdonó a los pecadores arrepentidos. Jesús desafió a que apedrearan a la mujer adúltera quienes estuvieran sin pecado. ¿Sabes perdonar o guardas rencores? ¿Te interesas por los demás y les proporcionas alegrías? ¿Eres compasivo con los borrachos, drogadictos, malcriados y perezosos?

¿Piensas que Jesús continúa sufriendo hoy en los pobres, en los marginados, en los ancianos? ¿Piensas que Él nos invita a seguir sus ejemplos, pues quiere que lo acompañemos no solo en el sufrimiento sino también en la felicidad del cielo, la casa de NUESTRO PADRE DIOS?

¿Vives averiguando vidas ajenas, no guardas secretos, condenas y criticas a los demás y descubres sus faltas? ¿Utilizas, manipulas y te aprovechas de los otros, o sacas tiempo para servir a los demás?

¿Usas a la mujer a tu antojo, la crees inferior, la miras como objeto de placer? ¿Eres compasivo, ayudas a tu esposa, a tus hijos, a los que tienen menos?

¿Qué podemos hacer para acabar con odios y pandillas, para que haya más amor y alegría en la familia y en la comunidad?

ORACIÓN FINAL

Señor Jesús, nuestro Dios y nuestro hermano, enséñanos a imitarte en el amor, en el servicio y el perdón generosos y en la ayuda a los demás. Que sigamos tus ejemplos y procuremos llevar paz, esperanza, libertad y alegría a nuestros semejantes. En la canoa donde comen los animales, naciste en cuerpo y sangre alimento de amor para el mundo dividido.

Te pedimos que los hogares destrozados por odios y pandillas, te coman en la Eucaristía y aprendan el amor. Que al terminar en paz nuestro camino, te acompañemos en el cielo, la casa de nuestro Padre Dios, llena de perdón, amor y paz. Y que la bendición de Dios Padre, Hijo y Espíritu Santo, permanezca con nosotros para siempre. Amén.

Cuarta Posada
Diciembre 19

José, esposo, padre y trabajador ejemplar

DEL EVANGELIO DE SAN MATEO. "María estaba comprometida con José, pero antes que vivieran juntos, quedó esperando por obra del Espíritu Santo. José, un hombre excelente, no quiso desacreditarla públicamente y decidió separarse de ella en secreto. Estaba pensando en divorciarse de ella, cuando un ángel del Señor apareció en sueños y le dijo: 'José, descendiente de David, no temas tomar a María por tu esposa, porque el hijo que espera es del Espíritu Santo. Ella dará a luz un hijo, al que llamarás Jesús, porque Él salvará al pueblo de sus pecados'".

(Evangelio de San Mateo 1,18-22)

REFLEXIONES PARA COMPARTIR EN GRUPO

María fue escogida por Dios, y también lo fue José, un esposo ejemplar, consagrado a su familia y a su trabajo. La Sagrada Familia era pobre, pero no pedían limosna, no vivían del gobierno ni a costa de los demás. Tenían lo necesario y trabajaban como pobres, para vivir dignamente.

¡Cuántos comienzan a trabajar desde muy pequeños, a veces fuera de su patria, sin poder estudiar, para llevar pan a la mesa familiar!

A miles de personas hoy se les despide injustamente de su trabajo. Muchos buscan trabajo sin encontrarlo; hay también gente perezosa que pudiendo trabajar vive de la droga, de negocios sucios; hay también pobres con espíritu de ricos que explotan a otros pobres.

¿Eres honrado o recortas tu tiempo de trabajo, tomas lo que no te pertenece, llegas tarde y abusas de otros que se ven obligados a hacer lo que a ti te corresponde? Cuando te quedas sin trabajo ¿te echas a dormir, te emborrachas, usas droga para olvidar tus penas, o buscas trabajo hasta encontrarlo? Cuando eras pobre le pedías a Dios que te ayudara, ibas a Misa, rezabas con frecuencia; ahora que tu vida ha mejorado, ¿te has olvidado de Dios y de tus hermanos sin trabajo? José era un hombre cabal que respetaba los secretos de su esposa. ¿Juzgas a veces a tu esposa, eres celoso, la criticas sin motivo y te irritas con sus reclamos? ¿Como padre educas y corriges con cariño a tus hijos, les explicas tus órdenes, o les pegas como si fueran animales y cometes los mismos errores que criticabas en tus padres?

¿Agradeces a Dios tu bienestar, compartes con los demás ayudándoles a conseguir trabajo y mejorar su vida? ¿Crees que el hombre es superior a la mujer, la miras como objeto de placer y atropellas su dignidad? ¿Te gustaría que ofendieran a tu madre, a tu esposa, o a tus hijas? ¿Eres cariñoso con tu esposa y respetas a la mujer?

José también fue discriminado como extranjero, pero luchó para sacar adelante su familia con un trabajo honrado y constante. ¿Empleas lo que ganas en licor, mujeres y fiestas y no tienes dinero para ayudar a los pobres y a tu Iglesia? ¿Viajas en vez de ahorrar, compras ropa, joyas y televisiones, carros lujosos, y cosas superfluas que no necesitas, olvidándote de tantos a quienes les falta lo que a ti te sobra? ¿Ahorras para comprar tu casa y educar a tus hijos? ¿Guardas el dinero que te sobra para una enfermedad, una emergencia o para aliviar el dolor ajeno?

¿Disfrutas de tu trabajo? ¿Imitas a San José, patrono de los trabajadores? ¿Le das gracias a Dios por tener talento, buena salud y no estar desocupado? ¿Enseñas a tus hijos la responsabilidad en el trabajo que mejorará su futura vida familiar?

ORACIÓN DE LA COMUNIDAD

CONTESTAN TODOS: R/ SAN JOSE RUEGA POR NOSOTROS.

San José, modelo de esposo y padre, enséñanos el valor del trabajo, la responsabilidad en el hogar, el amor y respeto a nuestras esposas e hijos. R/

José, enséñanos a dirigir y tratar nuestra familia como tú, con amor y respeto. R/

Creador del universo, que fuiste llamado hijo del carpintero, danos buena salud, amor y constancia en el trabajo. R/

Oremos por las madres consagradas a sus hogares sin ser reconocidas ni pagadas; agradezcamos su trabajo silencioso que sostiene la familia. R/

Pidamos por tantas personas que trabajan solas, lejos de su hogar y de su patria, para que nuestra comunidad cristiana las apoye y ofrezca su amistad. R/

Pidamos por todos los países africanos, latinoamericanos, asiáticos, por los pobres del mundo que no tienen trabajo ni modo para salir de la pobreza. R/

ORACIÓN FINAL

Dios todopoderoso que revelaste a José la gran noticia de un Dios hecho como uno de nosotros, aumenta nuestra fe, haz fuerte nuestro amor familiar, ayúdanos a conseguir y mantener un trabajo honrado, a ahorrar y emplear el dinero en ayudar a los necesitados.

Que todos sigamos el ejemplo de la familia de Nazaret. Que en estas Posadas nazcan de nuevo entre nosotros los ejemplos recibidos de José, el padre responsable de tu Hijo que reina contigo en el cielo. Y que la bendición de Dios todopoderoso, Padre, Hijo y Espíritu Santo, acompañe a todos los padres y a todas las familias de la tierra. Amén.

Quinta Posada
Diciembre 20

María sirve a Isabel y en el Magnificat
proclama justicia y libertad

DEL EVANGELIO DE SAN LUCAS: "María partió apresuradamente a las montañas a visitar a su prima Isabel. Al escuchar Isabel el saludo de María, el niño dio saltos en su vientre. Isabel se llenó del Espíritu Santo y exclamó: 'Bendita eres entre todas las mujeres y bendito es el fruto de tu vientre! ¿Cómo he merecido yo que venga a visitarme la madre de mi Señor? Apenas llegó tu saludo a mis oídos, el niño saltó de alegría en mis entrañas. Dichosa por haber creído que se cumplirían las promesas del Señor'. María dijo entonces: 'Celebra todo mi ser la grandeza del Señor y mi espíritu se alegra en el Dios que me salva'".

(Evangelio de San Lucas, 1,39-48)

REFLEXIONES PARA COMPARTIR EN GRUPO

Isabel la prima de María, no era una mujer joven. Sin embargo, el ángel le dijo a María que su prima iba a tener un hijo y María cerró inmediatamente las cortinas y las puertas en su casa y no se encerró a rezar y agradecer a Dios el haber sido escogida entre todas las mujeres. En lugar de cuidarse, María salió para ayudar a su prima que también esperaba un hijo. María corrió por las montañas a servir y acompañar a su prima hasta que naciera Juan. Además María compartió la GRAN NOTICIA del nacimiento de su hijo, Jesús, el hijo de Dios.

Hay miles de madres que diariamente abandonan a sus hijos recién nacidos, miles de ancianitos que viven solos, horas, semanas, meses, sin visitas ni llamadas de hijos, amigos ni parientes y la soledad es más triste fuera de la patria. ¡Cuántos jóvenes están en pandillas o en drogas por no encontrar cariño y comprensión entre familiares y amigos! El odio y la venganza manchan continuamente con sangre nuestras calles. En el Magnificat María pide a Dios que en el mundo reinen justicia, paz y libertad.

María no se encierra a esperar sola el nacimiento de su hijo, sino sale a compartir. ¿Tú sacas tiempo para quedarte con los tuyos disfrutando en familia esos ratos preciosos que nunca volverán? ¿Felicitas a los demás, compartes tristezas y alegrías y estás dispuesto a escuchar también sus temores y esperanzas? ¿Explotas y oprimes a tus empleados, o los tratas bien y los ayudas en sus enfermedades y tristezas?

Los hispanos estamos desunidos y nos destruimos por egoísmo como en tiempo de la Torre de Babel, a pesar de tener la misma lengua, religión y costumbres. Unidos podemos acabar con la inseguridad en las calles, y ayudándonos económicamente nuestras torres llegarán hasta los cielos.

En esta Navidad podemos vivir unidos como hijos de María nuestra madre, a cuyo amparo floreció la Iglesia de Jesús. María, se asustó por la presencia del ángel en la anunciación y la cercanía de Dios. El ángel le dijo a María "no temas" y la Madre de Jesús que protegió los comienzos de la Iglesia, es la misma princesa morena de Guadalupe que liberó a los oprimidos y le dijo a Juan Diego: "Nada debes temer, pues soy tu madre".

¿Te da miedo sacar la cara contra la segregación y las leyes opresoras, o te opones a la injusticia, la pobreza y la falta de empleo? ¿Has recogido firmas y caminado en las manifestaciones en contra de la terrible proposición 187 de California?

¿Colaboras con los demás en grupos de oración, de jóvenes, de liturgia, visitas a los enfermos, a los pobres, a los ancianos, o sólo asistes pasivamente a Misa los domingos?

ORACIÓN DE LA COMUNIDAD

CONTESTAN TODOS: R/ BENDITA SEAS TÚ, MADRE DE DIOS; DANOS AMOR , JUSTICIA Y LIBERTAD

La Virgen Santa en sus entrañas lleva al Dios de la justicia
y con Él, a pobres y oprimidos brinda de esperanza las primicias
y a su paso sienten las montañas silenciosas amanecer un nuevo día **R/**

Alégrase Isabel con la visita y Juan en el seno feliz se regocija.
La dulce presencia y el servicio de María transforman la familia de su prima. **R/**

Bendito en la morada sempiterna, Aquel a quien llevaste peregrina,
Jesús, que con el Padre y el Espíritu, al bendecirte a ti, a nosotros bendecía. **R/**[23]

ORACIÓN FINAL

Virgen Madre nuestra, que como tú, también nosotros acompañemos a los que están solos, enfermos, tristes. Que las madres sean realmente las primeras compañeras de sus hijos y los enseñen a ayudar a otros como tú ayudaste a tu prima Isabel. Tú que uniste las primeras comunidades cristianas, haz que nuestro servicio y nuestra unión hispana sean para los demás la GRAN NOTICIA de que Dios es nuestro hermano, y que como Jesús debemos amar sin condiciones.

Te pedimos paz y justicia para los hispanos segregados en Estados Unidos y para tantos otros pueblos oprimidos. Que estas Posadas Navideñas nos alegren al nacer nuevamente Jesús en nuestros corazones con su paz, amor, justicia y libertad. Y que la bendición de Dios todopoderoso Padre, Hijo y Espíritu Santo, permanezca siempre con nosotros. Amén.

Sexta Posada
Diciembre 21

Con Jesús salimos del odio al amor, de la muerte a la vida,
de las tinieblas a la luz

COMIENZO DEL EVANGELIO DE SAN JUAN: "En el principio existía el Verbo, o sea, la PALABRA DE DIOS, por quien todo fue creado. Su palabra era la VIDA Y LA LUZ DE LOS HOMBRES. La luz brilló entre las tinieblas y las tinieblas no pudieron apagar esa luz. El vino a su propia casa y los suyos no lo recibieron, pero a quienes lo recibieron, y creyeron en su Nombre, les concedió ser Hijos de Dios. Y el Verbo, la Palabra de Dios, se hizo carne y habitó entre nosotros. Y nosotros hemos visto su Gloria, esa Gloria que le corresponde al Hijo Único de Dios, lleno de un amor siempre fiel. De su abundancia todos hemos recibido continuas bendiciones y regalos. A Dios nadie lo ha visto jamás; el Hijo Único, que es Dios, nos enseñó que Dios es nuestro Padre".

(Evangelio de San Juan 1,1-18)

REFLEXIONES PARA COMPARTIR EN GRUPO

El pecado personal y social ensombrece a individuos, familias y naciones. Odios, venganzas, infidelidad matrimonial, alcoholismo, pandillas, droga y sangre, cambian ilusiones en lágrimas amargas. Cristo nos recuerda que son malos el odio, la discriminación y el ansia de dinero que explota y desprecia a los que hablan otra lengua y tienen otras costumbres. A pesar de tantos hogares destruidos, sin trabajo, sin esposa, sin hijos, sin amigos, sin salud, sin ilusiones, en Belén el canto de los ángeles continúa invitándonos a la alegría y la paz.

Millares de niños y niñas de trece años bebieron cada uno DOS GALONES Y MEDIO DE LICOR en 1984. Entre tinieblas de humo y placer, los norteamericanos quemaron en tabaco 31 MIL MILLONES DE DÓLARES en 1985.

¿Cuántas veces te has detenido a consolar al niño abandonado que llora en la calle? ¿Cuántas veces has visitado un anciano que lleva meses en su cuarto, solo, sin comida ni cariño?

¿Cuántas veces has hecho llorar a tu madre o hermanos, a tu esposa, a tus hijos, a tus empleados?

¿Escuchas la PALABRA DE DIOS que sale de los labios de Jesús y caminas por la vida amando, perdonando, sembrando amor, justicia y libertad? ¿Demuestras ser hijo de la luz y huyes de las tinieblas donde reina la droga, el juego, las borracheras y los amores falsos? Jesús vino a los suyos y los suyos no lo recibieron. Por el bautismo hemos sido consagrados a Jesús y sepultados al pecado. Si reconocemos a Jesús como Hijo de Dios y seguimos sus ejemplos, Él nos regalará una nueva vida haciéndonos HIJOS DE DIOS e iluminándonos por dentro para que también seamos LUZ que ayude a los demás en los caminos del bien y los aleje del pecado.

¿Qué puedes hacer para llevar a Jesús, HIJO DE DIOS Y LUZ DEL MUNDO a tu comunidad, a tus amigos y compañeros de trabajo, a tus parientes, vecinos y enemigos? ¿Cómo puedes crear en tu comunidad un ambiente de amor, para que las tinieblas del odio terminen y brille a tu alrededor la LUZ de la paz, la alegría y el amor?

¿Continuarás siguiendo a Jesús, cuando termines de caminar en las Posadas? ¿Qué puedes hacer HOY para no usar a los demás como objetos de placer, manipulándolos para tu provecho?

Hablando se entienden las personas. ¿Te cierras a la comunicación para aclarar malos entendimientos y evitar disgustos, envidias, peleas y rencores? ¿Eres humilde para pedir perdón por tus errores? Así perteneceremos realmente a la FAMILIA DE DIOS.

ORACIÓN DE SAN FRANCISCO

Señor, hazme un instrumento de tu paz.
Que donde deprima la tristeza, derrame yo alegría;
donde crezca la división siembre yo la unidad;
cuando paralice la duda, yo despierte a la fe;
que yo enjugue lágrimas y lleve las sonrisas;
cuando me hieran las ofensas, ofrezca yo el perdón;
donde se instale el error, yo proclame la verdad;
donde divida la discordia, yo construya paz y unión;
cuando domine el odio, triunfe yo con amor.
donde oscurezcan las tinieblas, encienda yo la luz de Cristo.
Oh divino Maestro: que no espere yo ser consolado sino consolar;
que no busque yo ser comprendido sino comprender;
que no quiera yo ser amado sino amar;
porque es dando como se recibe; perdonando como se perdona;
muriendo como renacemos a una vida con Dios.

Séptima Posada
Diciembre 22

Jesús nos invita a construir con amor un mundo de justicia, paz y libertad

LECTURA DE LA CARTA DE SAN PABLO A LOS ROMANOS: "Amen sinceramente y respétense como buenos hermanos. Cumplan con su deber, oren siempre, sean pacientes en las dificultades, tengan esperanza y vivan alegres. Compartan con los necesitados y reciban en su casa a los peregrinos. Bendigan a quienes los persigan, alégrense con los que ríen, lloren con los que lloran y vivan en armonía unos con otros. Si tu enemigo tiene hambre, dale de comer y si tiene sed dale de beber. No te dejes vencer por lo malo, sino vence el mal a fuerza de hacer bien".

(Carta a los Romanos 12,9-21)

REFLEXIONES PARA COMPARTIR EN GRUPO

La cueva de Belén estaba sucia y descuidada como nuestro mundo. En la pantalla de televisión vemos continuamente nuestras ciudades sucias y desordenadas, con el ambiente contaminado, la gente enferma de cáncer y SIDA, con hambre y sin trabajo. Es lindo rezar imaginándonos barrer la cueva antes de nacer el niño Dios, pero Él prefiere que hagamos algo por purificar el medio ambiente. ¿Tratas de arrancar odios y violencia, consolar a los que sufren hoy, como Jesús sufrió hace dos mil años?

UNO DE CADA CUATRO habitantes de la tierra, es decir CIEN MIL MILLONES DE PERSONAS, sobreviven hoy con un dólar por día y CIEN MILLONES de exiliados vagan en busca de un hogar. En los Estados Unidos, el país más poderoso del planeta, ¡hay tres millones de personas sin techo y cuarenta millones de pobres! Una cuarta parte de los habitantes de la tierra controlan cuatro quintas partes de la riqueza mundial.

La Biblia nos dice que Dios nos creó para disfrutar de la tierra. Dios habló en tiempos antiguos por medio de los profetas hasta que el Padre Dios mandó a su Hijo para que nos comunicara sus secretos. Jesús nos dice que en la casa de nuestro Padre Dios hay muchos apartamentos preparados para nosotros, si en esta vida procuramos compartir lo que tenemos con los necesitados. Jesús aceptó el sufrimiento y compartió el dolor de la humanidad. Al mismo tiempo viene a liberarnos del pecado, del egoísmo y la injusticia y nos anima a vivir en la tierra como hijos de nuestro Padre Dios, compartiendo lo que tenemos y luchando por un mundo libre, pacífico y alegre para todos. Quienes gastan millones de dólares en armamento inútil, olvidan que CADA AÑO MUEREN DE HAMBRE 20 MILLONES DE PERSONAS.

¿Apagas la televisión cuando te excita sexualmente, te incita a la violencia, al desorden, a la pereza? ¿Te esclaviza la televisión y no eres capaz de apagarla cuando te llama el deber? La tele debe estar a tu servicio y no tú al servicio de la tele. Los programas mediocres te aburren, los excitantes y violentos te intranquilizan, las imágenes de gente sin trabajo, los incendios y crímenes deprimen y no educan y te hacen olvidar el deber de luchar contra el desempleo, la violencia y la injusticia y el ambiente contaminado.

Estados Unidos tenía en 1993 más de MEDIO MILLÓN DE ENCARCELADOS, el número mayor de presos en el mundo. Cada semana entran MIL PRESOS a la cárcel y a este ritmo, ¡en el año 2050 la mitad de los norteamericanos estarían presos! Seguramente hubiéramos abierto nuestra casa a María y José para que Jesús no naciera en una pesebrera. ¿En esta Navidad siembras paz y amor y abres tus puertas a los necesitados?

¿Procuras hacer más civilizada la vida en calles y autopistas, respetando las leyes de tránsito, cediendo el paso cuando otros no lo hacen, siendo paciente con los malos conductores? ¿Conduces embriagado?

¿Tiras basura en calles y parques sin pensar en los demás? ¿Cuidas de la tierra, de tu cuerpo, de tu salud? ¿Tus hijos inocentes tienen que respirar el humo tóxico de tu cigarrillo y les das mal ejemplo en tu hogar usando drogas y abusando del licor?

¿Defiendes la vida, y respetas a los demás como hijos del mismo Padre Dios? ¿Eres esclavo del trabajo, de la comida, del licor, de las drogas, de la televisión, del deporte, del qué dirán…?

¿Tienes ídolos secretos (dinero, fama, sexo, modas, lujo, drogas…) que te esclavizan y quitan libertad? ¿Procuras no desanimarte y siembras a tu alrededor paz, alegría, libertad, esperanza y amor?

LECTOR (con voz muy fuerte):

> Cuando la luz disminuye y está cayendo la tarde
>
> venimos a Ti Señor, para cantar tus bondades.
>
> Orientados por estrellas a ignotas tierras y mares
>
> los pájaros se despiden cantando desde los árboles
>
> y los hombres fatigados regresan a sus hogares
>
> acariciando ilusiones, archivando sus pesares

Alejar quieren las máquinas y también sus vanidades;
descansar de su trabajo y morir a sus maldades.

Ya todo duerme en silencio, se anuncia la noche amable:
convierte, Padre, sus penas en abundancia de panes.

Alivie tu mano pródiga, tu mano buena de Padre,
el cansancio de sus cuerpos, sus tristezas y sus males.[24]

**Y que la bendición de Dios Todopoderoso Padre,
Hijo y Espíritu Santo, descienda sobre nosotros y permanezca para
siempre. Así sea.**

Octava Posada
Diciembre 23

La estrella de los magos ilumina nuestra fe y nos une
en alegrías y en tristezas, como hermanos de Jesús

EVANGELIO: "Unos sabios de Oriente guiados por una estrella llegaron a Belén preguntando dónde había nacido el Rey de los judíos para adorarlo. Herodes se intranquilizó mucho con esta visita que amenazaba su poder y mintió a los magos diciéndoles que también él quería adorar al niño que buscaban. Al salir los magos de hablar con Herodes, la estrella los acompañó hasta el pesebre, donde encontraron al niño con María su madre. De rodillas adoraron al niño, le ofrecieron oro, incienso y mirra y, sin avisarle a Herodes, regresaron a su tierra por otro camino. Después que se fueron los sabios, un ángel del Señor se apareció en sueños a José y le dijo: 'Levántate, toma al niño y a su madre y huye a Egipto. Quédate allí hasta que yo te avise, porque Herodes va a buscar al niño para matarlo'. José salió de noche con el niño y con su madre y vivieron en Egipto hasta que murió Herodes".

(Evangelio de San Mateo 2,1-13)

REFLEXIONES PARA COMPARTIR EN GRUPO

Los Reyes Magos disfrutaron tranquilamente de su riqueza, hasta que vieron la estrella. Entonces abandonaron su tierra y con espléndidos regalos, se aventuraron en busca de lo desconocido. Su vida tranquila cambió. Para ayudarse y defenderse no viajaron solos, sino emprendieron en grupo un largo viaje, sin saber adónde los llevaría la estrella. Jesús, desterrado en Egipto, tampoco estuvo solo. La unión y el amor del grupo dio valor a los Reyes Magos, como la unión y el amor familiar protegieron a Jesús, niño indefenso en un país extraño.

Estos sabios de Oriente siguieron la estrella hasta el final y cambiaron su camino. El Niño Jesús no nació controlado por los astros; al contrario, la estrella fue a buscar a Jesús, de donde brota la luz del universo. ¿Crees que estás controlado por fuerzas que te tiranizan y traen mala suerte, consultas astrólogos y brujas, te haces leer las cartas y pierdes tu vida y tu paz dando poder a gentes ignorantes? ¿Sacas el cuerpo a la responsabilidad culpando al destino y a que te echaron la mala suerte, sin pensar que sólo tú puedes controlar tu destino y lo que vale cuesta? Ni el sol ni los astros ni la mala voluntad de otros nos dominan. Nosotros somos dueños de nuestro propio destino y como tales debemos superar las dificultades que todos tenemos. Tal vez comienzas y no terminas tus planes y quieres que otros cambien en lugar de cambiar tú. No puedes cambiar tu estatura, el frío y el calor ni el precio de la leche. Pero sí puedes cambiar tus mentiras, infidelidades, borracheras y tu mal carácter. Iluminados por la estrella como los Sabios Orientales iremos cambiando hasta que los rasgos de Jesús aparezcan en nosotros. El es la luz del mundo que iluminó a los magos y los llenó de alegría al ver a Jesús. ¿Cuáles son tus propósitos para el año que comienza? Los Magos eran ricos, sabios, generosos. Llevaron sus dones SIN ESPERAR NADA EN RETORNO. Ellos llevaron oro, incienso y mirra al Niño Dios, de quien nada esperaban y salieron iluminados por dentro con fe en sí mismos y en Dios que es amor. ¿Das con interés de recibir y siempre quieres sacar ventaja de los demás? ¿O das a los pobres que ni agradecerán ni pagarán, haces el bien que nunca se sabrá, iluminado por la estrella como los magos? Como ellos también recibirás más de lo que diste, una luz interior que iluminará tus caminos hacia la casa del Padre celestial.

Como las caravanas del desierto hace dos años, miles de hispanos cruzan hacia el norte diariamente la frontera de los Estados Unidos. Llegan como los magos atraídos por las luces de las grandes ciudades de Nueva York, Chicago, Los Angeles,… Los Magos no encontraron a Jesús en la Gran Jerusalén, sino en la humildad de una cueva fuera del pueblo. Hermanos nuestros, muchos llegan hoy huyendo de la muerte, o buscando mejor vida, lejos de su patria. Ellos sufren hoy como entonces sufrió Jesús nacido sin hogar, perseguido y desterrado en Egipto.

Los Reyes Magos atravesaron países desconocidos y 100 MILLONES DE REFUGIADOS vagan hoy por el mundo huyendo de Europa, Asia, África, América… en busca de un hogar.[25] La gloria de Dios no brilla en las grandes ciudades, centros de codicia de ricos y pobres, ni a veces tampoco en los grandes templos. Dios palpita hoy como hace dos mil años en la paz de un establo campesino y en los corazones sencillos.

¿Vivimos unidos fuera de nuestra patria como los Magos, nos acompañamos en nuestra soledad de hispanos como amigos y compañeros? ¿Compartimos como hermanos y nos ayudamos a realizar nuestros sueños de una vida mejor? ¿Agradeces a la comunidad que trabaja para proporcionarte energía, luz, calor, gasolina, transporte, agua, alimento, vestido, teléfono y sobre todo compañía?

Los Magos, sin conocer al Dios de Israel, viajaron desde lejanas tierras hasta encontrar a Jesús, mientras los sacerdotes judíos que conocían la

Escritura, estancados en su rutina, no cambiaron de ser. La tierra tiene hoy cinco mil millones y medio de habitantes de los que ochocientos ochenta y cuatro millones no pertenecen a ninguna religión y doscientos treinta y siete millones son ateos[26]: Dios es para muchos un estorbo en sus vidas. ¿Quién es para ti Jesús de Nazaret, el Hijo de Dios? ¿Qué haces para que la luz de la fe ilumine nuestro mundo?

¿Vives esperando que otros te den, pensando qué ventaja puedes sacar de la Iglesia y de cuantos están a tu alcance? Como la estrella de Belén ¿el amor y la fe brillan en tu alma, en tu familia, en tu comunidad y así haces que otros sigan a Jesús? ¿Compartes como los magos y ayudas a vivir la fe y el amor en tu hogar y en tu trabajo?

¿Recuerdas que por el bautismo fuiste consagrado a servir a Dios y a los demás? ¿Estás orgulloso de tu bautismo o te avergüenzas de expresar tu fe en público? ¿Cómo ayudas en tu parroquia? ¿Eres bautizado y debes compartir la GRAN NOTICIA de que Jesús es nuestro hermano. ¿Imitas a nuestro Padre Dios en un amor sin condiciones a los demás?

¿Hay en tu familia amor, perdón y comprensión? ¿Te interesas por los pobres, visitas a los ancianos y enfermos? ¿La luz de la fe te orienta como la estrella a los magos en el camino de la vida, entre la oscuridad, el egoísmo, el odio y la violencia actuales? ¿Crees que te echaron la mala suerte y te dejas derrotar antes de luchar y superarte? Los astrólogos y adivinos tienen el poder que tú les des, y estás perdido si crees en ellos y tú mismo te clavas un puñal si abandonas por ellos a Jesús, que es el camino, la verdad y la vida.

¿Vives y practicas tu fe cristiana en tu familia, en el amor a los padres, a los hijos, a los parientes ancianos y enfermos, a los amigos y vecinos, a los que te hacen mal? La fe de tu hogar será luz y consuelo para quienes lloran divorcios, muertes de seres queridos o pérdida de trabajo.

¿Qué podemos hacer en nuestra comunidad para educarnos en la fe? (Clases de Biblia, comunidades de base, grupos juveniles, encuentros matrimoniales, grupos de oración…)

¿Acompañas a tus amigos en este valle de lágrimas, enfermedades y preocupaciones? ¿Das oído a falsos profetas que te sacan el dinero diciendo que el mundo terminará en el año dos mil? Recuerda que el Señor puede venir en cualquier momento a preguntarte cómo utilizaste tus talentos y pedirte cuentas de tu vida.

¿Como los sabios orientales rompes la rutina y te aventuras a algo nuevo y productivo, estudiando, descansando, haciendo deporte, no sólo comiendo, durmiendo, bebiendo, fumando y viendo televisión?

ORACIÓN FINAL

CONTESTAN TODOS: R/ ESCUCHANOS, SEÑOR

Que la luz de la estrella nos ayude a cambiar como a los Magos
y traiga al mundo justicia, amor y paz **R/**

Que aprendamos la generosidad de los Reyes Magos y nos amemos
para que el mundo crea **R/**

Por los viajeros, por los refugiados y por los que ayudan
a quienes viven fuera de su patria. **R/**

Por nuestros queridos difuntos que siguieron la estrella de la fe,
para que contemplen sin cesar la gloria de Dios. **R/**

Para que acabemos con supersticiones y falsas creencias
y aumente nuestra fe en Jesús,que es igual a su Padre Dios **R/**

Para que no nos dejemos llevar por supersticiones sino luchemos contra
las dificultades pidiendo ayuda al Señor Jesús Todopoderoso, Hijo Único
de Dios. **R/**

**Y QUE LA BENDICIÓN DE DIOS TODOPODEROSO, PADRE, HIJO
Y ESPÍRITU SANTO, DESCIENDA SOBRE NOSOTROS Y
PERMANEZCA PARA SIEMPRE. ASÍ SEA.**

Novena Posada
Diciembre 24[27]

Jesús, ternura de Dios con la humanidad,
nace desamparado en una cueva de animales

EVANGELIO: "En esos días el emperador César Augusto dictó una ley que ordenaba hacer un censo en todo el imperio. José, como era descendiente de David, viajó de Nazaret a Belén, para inscribirse con María, su esposa, que estaba embarazada. Estando en Belén, le llegó a María el día de dar a luz. Y tuvo a su hijo primogénito, lo envolvió en pañales y lo acostó en una pesebrera, porque no hubo otro lugar para ellos en todo Belén".

(Evangelio de San Lucas 2,1-7)

REFLEXIONES PARA COMPARTIR EN GRUPO

Caminaban por Belén, sucios por el viaje, José y María, que estaba próxima a dar a luz. Al volver la espalda a estos pobres esposos, la gente ignoraba que estaban rechazando al mismo Hijo de Dios, que así entró al mundo como un desconocido. Las hospederías son sitios para turistas y gente de paso, y Dios no vino a ser huésped por unas pocas noches. Jesús nació en la tierra, donde vino a quedarse para siempre y continúa buscando Posada entre nosotros a pesar del rechazo de la humanidad. Jesús nació en una canoa —comedero de animales— para ser nuestro alimento. Quienes en la misma mesa eucarística comemos un mismo cuerpo y bebemos una misma sangre, debemos tener los sentimientos de Jesús y unidos amar y perdonar sin condiciones como Él nos enseñó.

Jesús nació y vivió pobremente y hoy MIL MILLONES DE PERSO-NAS, una de cada cuatro en el mundo, viven en la miseria. En Somalia murieron de hambre personas cada día, llegando a 300.000 en 1993. En el mundo hay millones de enfermos, sin agua limpia, sin remedios…, familias enteras desalojadas de lo único que tienen, un rincón debajo de un puente, un edificio abandonado en ruinas, un árbol debajo del que durmieron muchos años. Hace 2.000 años, los padres de Jesús sin hogar tampoco encontraron un sitio decente para recibirlo.

Como José y María ESTA NOCHE MIL MILLONES DE PERSONAS buscarán en vano un techo que los cobije. HOY en Estados Unidos, el país mas rico de la historia, hay 30 millones de personas con hambre, cerca de un millón sin Posada. Gentes que reciben perros y rechazan niños en sus apartamentos, madres próximas a dar a luz son rechazadas de los hospitales ¡por estar muy avanzado su embarazo!

La gente come, bebe y baila, mientras cada año son enterrados 20 millones de cadáveres de quienes han muerto de hambre. Recordemos los programas televisados desde Somalia, Ruanda, Bosnia, Suráfrica: rostros de niños envejecidos, cubiertos de moscas, rodeados de miseria y enfermedad. Pensemos en millones de personas que buscan trabajo muchos años sin encontrarlo; veamos los cuerpecitos de 40.000 niños que en 1984 murieron en Estados Unidos antes de cumplir un año... ¿Te das cuenta que muchas veces hay Posada para los perros y no para los niños?

Miremos los ojos alargados de miles de orientales y de haitianos, rechazados por todos los países y sepultados en el mar en botes, su esperanza de libertad. Sintamos la angustia de cien millones de personas, como los habitantes de Ruanda, forzadas a vivir lejos de su patria, vagando por el mundo sin un rostro amigo que les sonriera y hablara su lengua en tierra extraña.

¿Rechazas a los demás por su apariencia o ves en ellos el rostro de Jesús? ¿Eres buen miembro de familia o buscas a quien te hace importante, descuidando dar tiempo, cariño y compañía a tus familiares y conocidos? ¿Evitas y eres impaciente con los ancianos y enfermos? ¿Llamas a gritos para que te abran y una vez dentro no abres la puerta a quien pide lo que tú ya conseguiste?

Los ángeles comunicaron la GRAN NOTICIA DEL NACIMIENTO DE JESÚS y los pastores tuvieron miedo al sentir a Dios tan cerca. Ese miedo terminó al encontrar al niño con su madre. ¿Tienes miedo a Dios o lo arrullas en tu corazón llevando cariño y esperanza a quienes sufren? Si hubieras vivido en Belén ¿habrías invitado a José y María a pasar la noche contigo? ¿Has dicho alguna vez: "mi casa es tu casa?" ¿Tus invitados sienten tu cariño y los haces sentir EN CASA?

¿QUÉ PODEMOS HACER? Reunidos por familias, hagamos en la noche de esta Posada algo concreto por los demás, abramos puertas y corazón a los necesitados. No nos quedemos solamente en la bella ceremonia de esta noche. Es lindo querer haber limpiado mugre y telarañas en la cueva de Belén. A Jesús le gusta más que ayudemos HOY a los hermanos exiliados, marginados, pobres y sin techo.

CONTESTAN TODOS: R/ SEÑOR, QUE DESCUBRAMOS TU ROSTRO EN LOS NECESITADOS

Jesús, alimento para el mundo en una canoa de animales, ayúdanos a servir a los demás. **R/**

Que no tengamos miedo a Dios, sino lo amemos en los que sufren. **R/**

Que veamos tu rostro en los que tienen frío sin donde pasar la noche. **R/**

Que abramos hogares y corazones a quienes son rechazados, criticados, marginados. **R/**

Que los niños sean agradecidos con sus padres y todos abramos nuestro hogar a los demás. **R/**

Que imitemos a Jesús, José y María en la humildad de pedir y en la sencillez de recibir. **R/**

ORACIÓN FINAL

Oh Dios y Padre nuestro, te damos gracias por tu ternura al enviarnos a tu Hijo, nacido como el más pobre entre nosotros. Danos un corazón de niño que sin temores confíe sencillamente en Dios; que seamos alegres y tiernos con los que lloran y con todas las criaturas del universo. Llena de tu amor y tu paz a los organizadores de esta Posada; ayúdanos a consolar a los pobres de Somalia, Haití, India, Suramérica, a las familias que lloran en Africa del sur, Ruanda, Bosnia; bendice a quienes abren sus hogares al que sufre.

Que abramos las puertas sin excluir a nadie, como hubiéramos dado Posada a tu hijo en Belén. Tú que entregaste tu Hijo a José y María, enséñanos a ver en tus hijos más abandonados y pobres el rostro de Jesús que reina contigo en el cielo por toda la eternidad. Y que la bendición de Dios Todopoderoso Padre, Hijo y Espíritu Santo, descienda sobre nosotros y permanezca para siempre. Amén.

VI

CANTOS Y VILLANCICOS
PARA
LAS POSADAS NAVIDEÑAS

Letanía a la Virgen María

Senor,_ten_piedad——— de no - so - tros.
Cristo,_ten_piedad——— de no - so - tros.
Señor,_ten_piedad——— de no - so - tros

Cris - to o - ye- nos. Cris - to es-cu - cha-nos.

Dios_Padre_____ ce- les-tial. Ten piedad
Dios_Hijo_Reden - - - tor del mundo piedad
Dios_Es - - - - pí-ritu Santo piedad
Santísima_Trinidad_que eres_un_ so- lo_Dios.

de no so - tros. San-ta Ma- rí - a Rue- ga por no-so-tros.

Santa Madre de Dios	Ruega por no-so-tros.
Santa Virgen de las Vírgenes	Ruega por no-so-tros.
Madre de Jesucristo	Ruega por no-so-tros.
Madre de la divina gracia	Ruega por no-so-tros.
Madre purísima	Ruega por no-so-tros.
Madre castísima	Ruega por no-so-tros.
Madre siempre Virgen	Ruega por no-so-tros.
Madre inmaculada	Ruega por no-so-tros.
Madre amable	Ruega por no-so-tros.
Madre admirable	Ruega por no-so-tros.
Madre del buen consejo	Ruega por no-so-tros.
Madre del Creador	Ruega por no-so-tros.
Madre del Salvador	Ruega por no-so-tros.
Virgen prudentísima	Ruega por no-so-tros.
Virgen digna de veneración	Ruega por no-so-tros.
Virgen digna de alabanza	Ruega por no-so-tros.
Virgen poderosa	Ruega por no-so-tros.
Virgen clemente	Ruega por no-so-tros.
Virgen fiel	Ruega por no-so-tros.
Aquí se pide posada por primer vez.	

Espejo_de_Jus - ti - ci - a   Rue- ga por no- so- tros.

Sede de la Sabiduría	Rue-ga por no-so-tros.
Causa de nuestra alegría	Rue-ga por no-so-tros.
Templo del Espíritu Santo	Rue-ga por no-so-tros.
Templo lleno de gloria	Rue-ga por no-so-tros.
Templo consagrado a Dios	Rue-ga por no-so-tros.
Rosa mística	Rue-ga por no-so-tros.
Torre edificada por David	Rue-ga por no-so-tros.
Torre de marfil	Rue-ga por no-so-tros.
Casa de oro	Rue-ga por no-so-tros.
Arca de la Nueva Alianza	Rue-ga por no-so-tros.
Puerta del Cielo	Rue-ga por no-so-tros.
Estrella de la mañana	Rue-ga por no-so-tros.
Salud de los enfermos	Rue-ga por no-so-tros.
Consoladora de los que sufren	Rue-ga por no-so-tros.
Auxiliadora de los cristianos	Rue-ga por no-so-tros.
Aquí se pide posada por Segunda vez	

Reina   de los An- ge- les Rue- ga por no- so- tros.

Reina de los Patriarcas	Rue-ga por no-so-tros.
Reina de los Profetas	Rue-ga por no-so-tros.
Reina de los Apóstoles	Rue-ga por no-so-tros.
Reina de los Mártires	Rue-ga por no-so-tros.
Reina de los Confesores	Rue-ga por no-so-tros.
Reina de los Vírgenes	Rue-ga por no-so-tros.
Reina de todos los Santos	Rue-ga por no-so-tros.
Reina concebida sin el pecado original	Rue-ga por no-so-tros.
Reina del Santísimo Rosario	Rue-ga por no-so-tros.
Reina elevada a los cielos	Rue-ga por no-so-tros.
Reina de la Paz	Rue-ga por no-so-tros.

Continúa

Letanía a la Virgen María

Continuación.

Cor- de- ro de Dios que qui- tas el pe- ca- do del mun- do

Per-dó - na-nos Se - ñor.
Cordero de Dios que quitas el pecado
del mundo. Oyenos Señor.
Cordero de Dios que quitas el pecado
del mundo. Ten piedad de nosotros.

Se pide posada por tercera vez.
y se hace la entrada de los Peregrinos.

Per - do - na - nos____ Se - nor.

"Al terminar los cantos de las Posadas se hacen las Lecturas Bíblicas propias de cada día".

Para Pedir Posada C.

Fuera 1

En - nom-bre— del cie——————— lo

les——————— pi—— do po sa—— - da.

Pues no pue de an - dar———————

mi es - po - sa a ma———————

Dentro 1

da. A - quí no es me - són,——————

Si gan a - de lan——————

te; yo——— no pue - do_a - brir———————

no se - a al - gún tu - nan———————

Fuera 2

te. No——— seáis in - hu -

Continúa

Para Pedir Posada C.

te; yo——— no pue - do_a - brir———

no se - a al - gún tu - nan———

Fuera 2

te. No——— seáis in - hu -

ma - - - nos de - jad - nos en

trar——————————— que el Dios de los

cie - - - los os——— lo pre - mia -

rá.————————————————

Ya Se Va María

Ya se va Ma - rí - a —— muy des - con - so-

la - da —— por - que en_es - ta ca - sa ——

1
no le dan po - sa - da. —
2
sa - da —

Entren Santos Peregrinos

En - tren San - tos Pe - re - gri - nos, Pe - re-

gri - nos, re - ci - ban es - te rin - cón, no de_es-

ta po - bre mo - ra - da si no de mi co - ra -

1.
zón.
2.
En - tren zón

Versos para pedir y dar Posada

Después de cada estrofa se canta: Ya se va María…
Al final de las posadas se canta: Entren Santos Peregrinos

Fuera —

2

Nota:
La primera y segunda estrofas
están incluidas
en la música.

3

Venimos rendidos
desde Nazaret
yo soy carpintero
de nombre José.

4

Posada te pide
amado casero,
sólo por la noche
la Reina del cielo.

5

Mi esposa es María;
es reina del cielo
y madre va ser
del Divino Verbo.

6

Dios pague Señores
vuestra caridad
y os colme el cielo
de felicidad.

Dentro —

2

Ya se pueden ir
y no molestar
porque si me enfado
los voy a apalear

3

No me importa el nombre:
déjenme dormir,
porque ya les digo
que no hemos de abrir.

4

Pues si es una reina
quien lo solicita
¿cómo es que de noche
anda tan solita?

5

Eres tú José
Tu esposa es María…
entre peregrinos
no los conocía.

6

¡Dichosa la casa
que alberga este día
a la Virgen Pura
la hermosa María!

Noche De Paz

La / A   Mi7 / E7   La / A

1.No - che de paz   No - che de_a - mor;   To - do duer - me_en de rre - dor
2.No - che de paz   No che de_a mor;   Al Di - vi - no Sal - va - dor
3.No - che de paz   No che de_a - mor;   En los cam - pos al pas - tor
4.No - che de paz   No che de_a - mor;   No - che bue - na del Se - ñor!
5.No - che de paz   No che de_a - mor;   Ha na - ci - do_el Re - den - tor,
6.No - che de paz   No che de_a - mor;   A la be - mos al Se - ñor!
7.No - che de paz   No che de_a - mor;   To - do duer - me_en de - rre - dor
8.No - che de paz   No che de_a - mor;   To - do duer - me_en de - rre - dor
9.No - che de paz   No che de_a - mor;   To - do duer - me_en de - rre - dor

Re / D   La / A   Re / D   La / A

So - lo ve - lan mi ran - do la faz. De_ su ni - ño_en an - gé - li - ca paz.
Que por no - so - tros na - ció_en un por - tal. Hi - nos can - te - mos de_a - mor ce - les - tial.
Co - ros ce - les - tes vie - nen a_a - nun - ciar. Sa - lud y gra - cias con nue - vo can - tar
Can - tan los án - ge - les al E - ma - nuel: "Glo - ria_en los cie - los al Rey de_Is - ra - el,"
Ya los Pas - to - res le vie - nen a ver, Sus co - ra - so - nes le van a_o - fre - cer
Que_en es - ta No - che se dig - nó ve - nir A los hu - mil - des pa - ra re - di - mir.
Só - lo sue - nan en la_pa - cu - ri - dad Ar - mo - ni - as de fe - li - ci - dad.
So - bre_el san - to ni - ño Je - sus U - na_es - tre - lla es - par - ce su luz.
Fie - les, ve lan a - lli en Be - lén Los pas - to - res, la - ma - dre tam - bién

Mi7 / E7   La / A   Mi7 / E7   La / A

Jo - sé_y Ma - rí - a_en Be - lén._____ Jo - sé_y Ma - rí - a _en Be - lén.
Glo - ria por siem - pre_al Se - ñor!_____ Glo - ria por siem - pre_al Se - ñor!
A nues - tro buen Re - den - tor;_____ A nues - tro buen Re - den - tor;_____
Paz en la tie - rra y_a - mor;_____ Paz en la tie - rra y_a - mor;"_____
A su Dios y Sal - va - dor;_____ A su Dios y Sal - va - dor;_____
A - mor al Dios del a - mor!_____ A - mor al Dios del a - mor!_____
Ar - mo - ní - as de paz;_____ Ar - mo - ní - as de_a - mor;_____
Bri - lla so - bre el Rey;_____ Bri - lla so - bre el Rey;_____
Y la_es - tre - lla de paz;_____ Y tre - lla de paz;_____

Vamos Pastores Vamos

E. Ciria

Allegretto animato

Va-mos Pas to- res, va- mos, va- mos a Be - lén

a ver en e - se ni - ño la glo-ria del E - dén.

A ver en e - se ni - no la glo- ria del E - dén. dén. la

glo - ria del E - dén. Si. Va - mos pas to - res, va - mos,

vamos a Be - lén a ver en e - se ni - ño la glo-riadel E - dén

a ver en e - se ni - ño la glo - ria del E - dén. dén la

Vamos Pastores Vamos

Continuación.

glo - ria   del   E - dén,   del   E   -   dén.

Estrofa

E - se pre- cio - so   ni - ño   yo   me mue- ro por   El,

sus   o - ji- tos me_en - can - tan,   su   bo- qui- ta   tam - bién.

El   Pa - dre le_a - ca - ri - cia,   la   Ma- dre mi - ra_en

El: y   los   dos   ex - ta - cia - dos

con - tem-plan a - quel   ser,   con - tem-plan a - quel   ser.

Duerme, No Llores

J. G. Treviño

Os a-nun-cia-mos un gozo_in-men-so: Hoy ha na-ci-do el Sal-va-

dor; De un pe-se - bre so-bre las pa - jas y_en-tre pa-na - les lo_en con-tra-

reis. Duer-me, no llo - res, Je-sús del al - ma Duer-me no llo - res mi dul-ce_a

Duer-me no llo - res Je-sús del al - ma Duer-me no llo - res

mor Duer-me no llo - res que_e sas tus lá-gri-mas par-ten el

mi dul-ce_amor

al - ma de com-pa- sión. Duer-me, no sión.

En el Portal de Belén

Moderato

Villancico

Ha na - ci - do_en un por - tal___ lle ni - to de te - la ra - ñas en - tre la mu - la y_el buey___ el Re - den - tor de las al - mas. Es-te_es un le - rum, la ma - ru - xi - ña. Es-te_es un le rum en el por- tal. Va - ya pro - si - ga es - te can - tar. Va - ya pro - si - ga es - te can- tar. Le - rum, le - rum, le - rum, la. En el

Continúa

En el Portal de Belén

Continuación.

A La Nanita Nana

Continúa

A La Nanita Nana

Continuación.

¿Qué Niño Es?

In - cien - so, mi - rra y_o - ro dad, Ve - nid, pues y a-do-rad - le trae sal - va-ción Rey de Sión, Oh to - dos en - tro-nad - le Dad - le_hon - ra to - da voz, La Vir - gen can - ta_al Ni - ño Diós Can - tad, Je - sús na-ció de Diós es el Me sí - as.

Profetiza

ROSA MARTHA ZÁRATE

Profe-ti - za pue-blo mi - o profe-ti-za_u-na vez más que tu voz sea_ele - co del cla-mor de los pue blos en la_o-pre-sión. Pro-fe-ti - za pue-blo_his-pa-no profe-ti - za_una vez más a-nun-cián-do-le_a los po-bres u-na nue-va so cie-dad. dad. Pro-fe - ta te con - sa-gro,_____ no_haya du-da y te-mor en tu_an-dar por la_his-to-ria,_____ sé fiel_a tu mi-sión. Pro-fe-ti - za pue blo mi - o pro-fe-ti za_u-na vez más. sol. Pro-fe

Estribillo

Estrofas

D.S.

⭐ 122

Profetiza

Continuación.

1. Pro-fe - ta te con - sa-gro,___ no*haya du - da y te - mor
   en tu*an - dar por la*his- to - ria,___ sé fiel___ a tu mi - sión.

2. A-nún - cia - le*a los pue-blos___ que Dios___ re - no - va - rá
   su pac - to*en la jus - ti - cia___ su*a-mor___ flo - re - ce - rá.

3. De-nun - cia to-do*a - que-llo___ que cau - sa la*o - pre - sión
   pa-ra___ que se con- vier-ta___ y vuel-va___ de nue-vo*a Dios.

4. Es-ta___ sea tu*es - pe - ran - za,___ és - ta___ sea tu mi - sión
   ser con - struc-tor del rei-no,___ so - cie - dad del a - mor.

5. Es ho - ra de mi gra -cia,___ sa - cra - men - to de Dios,
   sé sig - no de mi*a- lian-za,___ sé luz___de*un nue-vo sol.

*(Recitado): Profetiza una vez más, gente mestiza, raza de bronce, inmigrante, campesina, gente del norte. Profetiza desde aquí, denuncia sin temor, con valentía, anuncia con sencillez y coraje. Profetiza desde allí, desde donde se planea, donde se acumula, donde se compite, donde se despojan pueblos, desde allí, desde allí deja oir la voz del Dios de tus antepasados, del Dios de la vida y de la compasión, el Dios de misericordia, el Dios de la mujer, del empobrecido, del indio. Profetiza pueblo mío desde aquí que tu voz sea el eco de los pueblos nuestros. Es tiempo de salir, es tiempo de ponernos de pie, es tiempo de nuestro éxodo.

Somos Un Pueblo Que Camina

Somos Un Pueblo Que Camina

Continuación.

o - tra   ciu - dad que no se_a - ca - ba,   sin pe - nas ni tris -

te - zas: ciu - dad de_e- ter - ni - dad.___

2.
Sufren los hombres. mis hermanos.
buscando entre las piedras
la parte de su pan.
Sufren los hombres oprimidos.
los hombres que no tienen
ni paz ni libertad.
Sufren los hombres. mis hermanos,
mas Tú vienes con ellos
y en Ti alcanzarán
otra ciudad que no se acaba.
sin penas ni tristezas
ciudad de eternidad.

3.
Danos valor para la lucha.
valor en las tristezas.
valor en nuestro afán.
Danos la luz de tu palabra.
que guie nuestros pasos en este caminar.
Marcha. Señor. junto a nosostros.
pues sólo en tu presencia
podremos alcanzar
otra ciudad que no se acaba.
sin penas ni tristezas:
ciudad de eternidad.

4.
Dura se hace nuestra marcha.
andando entre las sombras
de tanta oscuridad.
Todos los cuerpos desgastados.
ya sienten el cansancio de tanto caminar.
Pero tenemos la esperanza
de que nuestras fatigas
al fin alcanzarán
otra ciudad que no se acaba.
sin penas ni tristezas: ciudad de eternidad.

Notas

[1] *Ejercicios Espirituales de San Ignacio de Loyola.* Segunda Semana, Contemplación del Nacimiento. *Thesaurus Spiritualis Societatis Iesu.* Santander, 1950, p. 50, No. [114]

[2] Octavio Paz, "*EN UXMAL*". "*Los hijos de la Malinche*". *El peregrino en su patria. Historia y política de México. México en la obra de Octavio Paz,* México, Fondo de Cultura Económica, 1989, pp. 269-283

[3] Roberto O. Gonzalez, O.F.M. and Michael J. LaVelle, Ph.D., *The Hispanic Catholic in the United States: A Socio-Cultural and religious profile.* Hispanic American Pastoral Investigation, volume I, Northeast Catholic Pastoral Center for Hispanics, 1985.

[4] National Conference of Catholic Bishops: *The Hispanic Presence. Challenge and Commitment. A Pastoral Letter on Hispanic Ministry.* December 12, 1983. Washington, D.C. United States Catholic Conference. 1984, pp. 41, 42, 43. Puede verse también el libro *Integral Education: A response to the Hispanic Presence,* Washington, D.C., National Catholic Educational Association, 1967, p. 30.

[5] Esta frase, inspirada en los Evangelios, los Hechos y las Cartas de los Apóstoles, fue consagrada por los Concilios de Nicea en el año 325 y de Constantinopla en el año 381. El tema central de la discusión era definir contra los arrianos y otros herejes, que Jesús era de la misma naturaleza que el Padre. Siendo pues Jesús, Dios, era el único que podría nacer y morir *eficazmente* "por nosotros y por nuestra salvación". El decreto original aparece en Denzinger-Schonmetzer, S.J.: *Enchiridion Symbolorum, Definitionum et Declarationum de rebus fidei et morum,* Roma. 1967, # 125, 150.

[6] *US. News and World Report,* 18 de noviembre de 1991, pp. 34-54.11.

[7] *Fact Sheet. The 1989/1990 Annual Reports of the Interagency Council on the Homeless.* April, 1991. En el presupuesto de 1992 se asignaron más de mil millones de dólares para atender a las personas sin techo, suma inadecuada ante un problema gigantesco. *The Interagency Council on the Homeless.* January, 1992.

[8] *Money, Income and Poverty. Status of People in the United States:* 1981, Serie p-60, No. 134. Oficina del Censo, Washington, D.C., Julio, 1982, Citado en la carta pastoral de Los Obispos Norteamericanos *The Hispanic Presence. Challenge and Commitment.* Washington, D.C. National Conference of Catholic Bishops. 1984, p.45.

[9] Estos últimos datos han sido tomados del folleto: "*América Latina. El relativo éxito del ajuste económico y el creciente desajuste social. Reflexiones para la Cooperación Internacional al Desarrollo*" Centro de Investigación y Educación Popular Cinep. Bogotá, Diciembre de 1994, pp. 1, 4, 5, 8, 9, 11.

[10] *Statistical Abstract of the U.S.* U.S. Dept. of Commerce, Washington D.C., 1991 p.185.

[11] Mencionamos sólo unos pocos datos del documental *Grapes of Wrath*, filmado en 1986 por United Farm Workers of America, P.O. Box 62, Keene, CA 93531.

[12] *U.S. Bureau of the Census Series P-60 No. 175*, Washington, D.C., 1991, pp. 163-189 Table 24.

[13] *Catholic rural life update.* Chicago, September, 1991. *Children's wellbeing. An International comparison*, U.S. Dept. of Commerce. Bureau of the Census. 1990 p. 13.

[14] *U.S. Bureau of the Census.* Series P-60 No. 175. *Poverty in the U.S.* 1990. Washington, D.C. 1001 págs. 2, 15, 194, Table A-1. *Anuario estadístico de América Latina.* Comisión económica para América Latina y el Caribe. Edición 1990. Publicación de las Naciones Unidas. Chile 1991 p. 45 *The 1990 rural report of the Interagency council on the homeless.* Washington, D.C., 1991 p. 39.

[15] Mary Ellen Hombs *American Homelessness. A reference handbook.* Santa Barbara, California, Oxford, England, 1990 pp. 6,12, 36, 49, 50. *The 1990 Report on the Interagency council on the homeless.* 451 Seventh St., Washington, D.C. 20410, 1991, p. 31.

[16] *U.S. Bureau of the Census. Current Population Reports. Series P-60 No. 175. Poverty in the U.S. 1990, U.S.* Government Printing Office, Washington, D.C., 1991, p. 85 Table 11.

[17] Harry G. Summers, *The Vietnam War Almanac.* New York, Facts of Life, 1985.

[18] Marc Mauer, *Americans behind bars: a comparison of international rates of incarceration*, U. S. Department of Justice, Washington, D.C. 1991. Artículos publicados en 1992/93 en: *The Arizona republic, Gannett News Service, Federal News Service, The Boston Globe, The Atlanta Journal and Constitution.*

[19] La investigación sobre salud entre los Hispanos fue publicada con estadísticas desconcertantes a favor de la salud y los valores de la familia hispana en el libro de David Hayes-Bautista and others: *Redefining Califor-*

nia: Latino Social Engagement in a Multilcultural Society, UCLA Chicano Studies Research Center, Los Angeles, CA, 1992.

[20] Leonardo Boff, *Encarnación. La humanidad y la jovialidad de nuestro Dios.* Sal Terrae, Santander, 1986, p. 27.

[21] Los que no están afiliados a ninguna religión son el 16.4 por ciento y los ateos el 4.4 por ciento. Los cristianos en el mundo son 33.1 por ciento y los católicos el 18.8 por ciento. *The World Almanac and book of facts. New York, Press Publication Company,* 1993, pp. 718, 817. *National data book and guide to sources, Statistical abstract of the United States.* 1987 107th edition. pp. 340, 634, 635.

[22] Oración adaptada de la *Liturgia de las Horas,* México, 1985, p. 95

[23] Oración adaptada con permiso de: *Liturgia de las Horas para los fieles,* México, 1985, p. 883

[24] Adaptado de *Liturgia de las Horas del Pueblo,* 15ª edición, Editorial Alba, México, 1983, p. 178.

[25] Datos tomados del *National data book and guide to sources. Statistical abstract of the United States.* 1987, 107th edition, pp. 639, 635. *Review of Ignatian Spirituality. The Jesuits towards CG 34.* Roma, 1994, p. 11 nota 2.

[26] *National data book and guide to sources. Statistical abstract of the United Sates,* 107th edition. p. 340.

[27] El Evangelio, las reflexiones y oraciones deben ser leídas por alguien de la comunidad que lleve una vida ejemplar y LEA DESPACIO Y CON ENTUSIASMO. Debe haber un tiempo todas las noches antes de comenzar la Posada, para ensayar cantos, letanías y villancicos.